ACADEMI
MR DŴM

Jon Gower

caa
CYMRU

I ddisgyblion Ysgol Gyfun Garth Olwg
am eu hamser a'u syniadau wrth
i fi ysgrifennu'r nofel

Pennod 1

Dechreuodd y diwrnod yn normal, os oedd 'na'r fath beth â normal go iawn yng nghartref Daf Bach.

Roedd Daf yn hwyr i ddal y bws, fel arfer. Llyncodd ei wy wedi'i ferwi yn gyflym a'i heglu hi am y safle bws. Roedd ei chwaer, Martha, wedi bwyta ei brecwast hithau, a sgathrodd y ddau i lawr y llwybr, oherwydd roedd y rhif 53, y 'Gwallgofbws', yn peswch ei ffordd lan yr hewl.

Mae ambell fws ysgol yn hen iawn, ond roedd y rhif 53 yn hen fel pechod. Roedd y gyrrwr yn arfer gyrru camelod yn oes y Beibl, ac roedd jyngl o fwswgl yn tyfu yn y seddi cefn.

Wrth iddo dasgu drwy'r drws ffrynt, clywodd Daf y parot yn gweiddi o do'r tŷ. 'Hello, sailor,' cyfarthodd. Ie, dryll neu wenwyn fyddai orau, meddyliodd Daf.

Roedd y bws yn llawn plant gwallgo – eu hanner nhw eisiau mynd i astudio a dysgu a'r hanner arall am aros gartre i wneud drygioni. Ac roedd y rhai drwg wastad yn gwawdio Daf, a'i chwaer wastad yn gorfod ei amddiffyn.

'Hei, Shorty. Ti eisiau bisgeden? Shortcake biscuit?' A byddai hanner y plant ar y bws yn chwerthin, a'r hanner arall yn syllu'n fud ar y dihirod dwl oedd yn mwynhau difetha diwrnod da.

Doedd dim byd y gallai Daf ei wneud mewn gwirionedd. Roedd e'n fach, ac roedd e'n gwybod bod pobl yn medru bod yn greulon, yn enwedig pobl fel Iolo Ffags, oedd yn galw enwau y bore yma. Roedd rhai o'r bechgyn creulon ym Mlwyddyn 9 yn ei gymharu â Yoda, er ei fod e ddwy droedfedd yn dalach na Yoda, a saith cant wyth deg a naw mlynedd yn ifancach.

Doedd e ddim yn hoff o'r llysenw Yoda. Yn wir, doedd Daf ddim yn hoff iawn o *Star Wars* o gwbl, a hynny oherwydd ei Wncwl Stan. Roedd ganddo obsesiwn â'r ffilmiau. Roedd e wedi galw ei dŷ yn 'Death Star' er enghraifft.

Fe gofiwch fod Yoda bach yn arfer dysgu arwyr y Jedi sut i ymladd, a bod y creadur bach yn siarad mewn ffordd ddoniol. Roedd yn gosod geiriau yn y drefn anghywir, fel bod 'Mae Mam-gu wedi colli ei pharot' yn cyfieithu yn iaith Yoda fel, 'Colli ei pharot mae Mam-gu wedi.' Doedd Wncwl Stan ddim yn ddoniol pan oedd e'n dweud pethau hurt ei hun. A doedd e ddim yn ddoniol yn gwisgo lan fel Darth Vader bob dydd Sul. Ddim yn ddoniol o gwbl. Yn enwedig am fod y grefi'n mynd i bob man oherwydd y masg du plastig.

Ac os oedd Daf Bach yn arwr annisgwyl, roedd

ei chwaer, Martha, yn arwres fwy annisgwyl byth. Roedd arni ofn ei chysgod ac ofn y tywyllwch. Roedd hi'n troedio'n nerfus o gwmpas anifeiliaid anwes a cheir, ac unrhyw un oedd yn gwisgo rhywbeth glas. Ond pan fyddai rhywun yn bygwth ei brawd, roedd yn troi'n ddewr ac yn fodlon sefyll lan i unrhyw fwli neu fachgen dwl.

Felly hi oedd yr un gerddodd lan at Iolo Ffags, a chymryd y fisgeden a diolch iddo am fod mor hael. Doedd gan Iolo ddim ateb, heblaw dweud 'Unlucky' mewn llais stiwpid. Roedd y dihirod yn yr ysgol yn siarad mewn sloganau ac yn credu bod 'na rywbeth yn bod ar unrhyw un oedd yn siarad mewn brawddegau llawn.

Bu'r brawd a'r chwaer yn dawel am weddill y trip, yn gweld dim rheswm yn y byd dros achosi mwy o drwbl iddyn nhw'u hunain.

Yn yr ysgol roedd rhywbeth mawr ar droed – roedd y prifathro wedi diflannu. Byddai hynny'n ddigon o sioc ynddo'i hun, ond roedd y dirprwy bennaeth a nifer o'r hen athrawon wedi diflannu hefyd. Roedd yr heddlu fel gwenyn o gwmpas y lle, a faniau teledu yn pwyntio eu dysglau lloeren at y cymylau yn chwilio am signal.

Roedd Mr Marshall, yr athro Addysg Gorfforol, yn sefyll wrth y brif fynedfa yn dweud wrth bawb am fynd adref, gan addo y byddai manylion ar wefan yr ysgol ynglŷn â phryd y byddai'r ysgol yn ailagor. Byddai'r disgyblion wedi dathlu oni bai am y ffaith fod cymaint o'u hoff athrawon wedi diflannu fel niwl y bore a neb yn gwybod pam, na ble, na sut yr aethant. Roedd pawb mewn penbleth, ac erbyn amser cinio roedd y newyddion am yr ysgol yn hawlio'r penawadau ar bob gorsaf radio a phob sianel deledu.

Cyrhaeddodd Daf a Martha yn ôl adre am ddeg o'r gloch. Roedd eu rhieni yn y gwaith a dim ond Mam-gu oedd yno i'w croesawu. Doedd Mam-gu ddim yn gallu clywed yn dda ac felly roedd pawb yn gorfod gweiddi wrth siarad â hi. Ac, wrth gwrs, roedd hithau'n gweiddi yn ôl yn uwch ac yn uwch nes bod y tŷ yn llawn sŵn halibalŵ, fel gêm bêl-droed rhwng yr Elyrch a Man U. Ie, y math hwnnw o halibalŵ.

Roedd Mam-gu yn cerdded o gwmpas y gegin yn llefain. Roedd hi wedi colli'r parot. Y peth cyntaf glywodd Daf wrth ddod i mewn oedd …

'Chi wedi gweld y parot?'

'Naddo, Mam-gu.'

'Chi wedi gweld y parot?'

'Naddo, Mam-gu.'

'Parot. Un gwyrdd. Lot o blu ond ddim lot o sens.'

Fel Mam-gu, meddyliodd Daf, ac o dan ei anadl dywedodd wrtho'i hun, 'Gobeithio bod y gath drws nesa wedi cael y parot i frecwast.' Doedd Daf ddim yn hoffi'r parot ar ôl iddo fwyta cebl yr Xbox pan oedd

Daf ar fin cael y sgôr uchaf erioed ar Hela Mr Urdd, y gêm Gymraeg gyntaf ar y teclyn. Hefyd, roedd y parot yn meddwl ei fod yn glyfar oherwydd ei fod yn medru dweud 'Hello, sailor', er doedd 'na'r un morwr o fewn ugain milltir neu fwy.

Penderfynodd Daf, pe byddai e'n digwydd gweld y blincin parot, y byddai'n agor y ffenest er mwyn i'r aderyn ddiflannu am byth. Neu'n prynu dryll. Ta-ta, parot. Bam!

Ond cusanodd Daf foch ei fam-gu ac addo y byddai'n mynd o gwmpas yr ardal cyn swper i chwilio am y Polly diflanedig.

Pennod 2

Roedd y cyfarfod boreol, lle roedd yr ysgol i gyd yn dod at ei gilydd, yn un arbennig heddiw. Roedd y prifathro newydd yno am y tro cyntaf. Ond doedd e ddim fel unrhyw brifathro arall ar y blaned.

Am ryfeddod! I ddechrau, roedd yn gwisgo du, o'i gorun i'w sawdl, gan gynnwys het uchel a chlogyn a bŵts mawr fel mae rhywun yn eu gwisgo ar gefn moto-beic. Roedd ganddo foto-beic a hanner hefyd. Enw'r prifathro newydd oedd Mr Dŵm, ac roedd arogl rhyfedd yn ei ddilyn, fel petai rhywun wedi bod yn llosgi gwallt. Ei lygaid oedd y pethau rhyfeddaf yn ei gylch – llygaid coch fel petai'n gwisgo contact lensys coch, er nad oedd yn gwisgo lensys. Ond ar ben hynny, roedd ganddo lais fel sgrech brân. Roedd y prifathro newydd yn crawcian yn lle siarad, a phan fyddai'n crawcian, byddai'n bwrw ei gansen i lawr yn galed yn erbyn y bwrdd o'i flaen nes bod cymylau o ddwst yn hedfan ar hyd y lle.

'Bore drwg, ddisgyblion. Fy enw i yw Mr Dŵm, ond cewch chi fy ngalw fi'n "syr". Ond cyn i chi wneud hynny, bydd disgwyl i chi foesymgrymu ger fy mron, oherwydd o nawr ymlaen fi fydd yn rheoli eich bywydau bach pitw.'

Edrychodd rhai o'r athrawon yn nerfus o'u cwmpas. Roedden nhw wedi clywed am y dyn yma, a rhai wedi clywed ei fod fel y diafol ei hun. Wrth edrych ar Mr Dŵm yn sefyll yno'n taro'r gansen fel gwallgofddyn, roedd rhai'n dechrau amau taw hwn oedd y diafol, a'i bod hi'n bryd iddyn nhw chwilio am swydd arall.

'Nawr 'te'r penbyliaid bach pathetig, mae angen newid y rheolau rownd ffordd hyn. Un. Mae'r hyn sy'n digwydd yn yr ysgol yn aros yn yr ysgol. Os bydd un ohonoch yn penderfynu cwyno wrth rywun y tu allan i'r ysgol, wrth eich mam neu'ch tad, yna bydd yn rhaid i mi eich cosbi'n enbyd. A rhaid i mi gyfaddef, does neb yn cosbi'n well na fi. Fi yw'r pencampwr.'

Gyda hyn, pwyntiodd y prifathro ei fys at fachgen bach oedd wedi dechrau llefain yn y rhes flaen.

'Beth wyt ti'n wepan abwytu, y penbwl hyll? Os na wnei di stopio llefain yn syth bin, bydda i'n dy fwydo di i'r teigr.'

Teigr? Pa deigr? Oedd y dyn yma'n hollol bananas? Ac yna, gwelodd un disgybl yng nghefn y neuadd fod lorri fawr yn parcio y tu allan i brif fynedfa'r ysgol. Roedd arwydd ar yr ochr, 'Dangerous Animals in Transit: Keep Gates Clear'. Roedd pedwar dyn boliog yn agor cefn y lorri i dywys teigr ar draws y cwrt pêl-fasged a thrwy'r coridor hir a arweiniai at swyddfa'r prifathro. Disgleiriai dannedd hurt o bwerus y teigr yn yr heulwen, wrth iddo stryglo yn erbyn ei gadwynau, a'r pedwar dyn yn chwysu stecs wrth geisio'i ffrwyno. Tasgai melltith o lygaid du'r creadur gwyllt, a oedd yn mynd yn fwy gwyllt bob eiliad.

Doedd yr un bod byw yn yr ysgol wedi gweld y fath beth erioed o'r blaen. Dechreuodd pawb sibrwd yn nerfus, nes bod llais brân Mr Dŵm yn torri drwy'r stŵr, fel cyllell dwym drwy fenyn. Wrth i'r sibrwd symud drwy'r chwe chant wyth deg ac un disgybl, swniai'r neuadd fel cwch gwenyn. Pwy oedd y dyn yma? Beth oedd wedi digwydd i'r hen brifathro, yr un neis? Drwy'r ffenest, gwelsant y gath wyllt fawr yn llwyddo i gael un bawen yn rhydd ac anelu ergyd at y dyn agosaf. Llwyddodd i dynnu esgid y dyn, ond yn ffodus iawn, methodd y goes oedd yn sefyll yn yr esgid.

'Waw,' meddai'r gynulleidfa ag un anadl.

'Tawelwch!' mynnodd y prifathro. 'Nag y'ch chi wedi gweld cath o'r blaen? Falch eich bod chi'n cymryd cymaint o ddiddordeb yn y ffaith fod y prifathro'n cadw anifail anwes, oherwydd bydd angen criw ohonoch i gadw'r swyddfa'n lân. Mae tipyn o ddom i'w glirio pan fydd teigr yn byw yn eich swyddfa. Pwsi yw ei enw gyda llaw. Pwsi Meri Mew. O ganolbarth India.'

Y prynhawn hwnnw, wrth i'r plant gerdded i lawr

lôn yr ysgol tuag at y bysiau oedd yn aros i'w cludo adref, sylwodd rhai fod aderyn enfawr yn hedfan dros y caeau rygbi, ac yn setlo ar do'r prif adeilad.

'Fwltur,' meddai Cadi wrth Daf, gan bwyntio'i bys yn sigledig.

'Beth?' gofynnodd Daf.

'*Vulture*,' atebodd Cadi. 'Drycha, mae un arall yn hedfan i mewn.'

Daeth enwau i'r adar i feddwl Daf.

'Jac yw'r un ar y chwith, a Do yw'r un ar y dde. Jac a Do. Gedit?'

'Mae'r lle 'ma'n nyts,' oedd ymateb Cadi. Beth allai ddigwydd mewn ysgol â phrifathro oedd fel y diafol ei hun, a theigr yn y swyddfa ac adar ysglyfaethus yn eistedd ar y to yn disgwyl tamaid? Penderfynodd ofyn i'w ffrind Heti am help i gael gwybod mwy am y teigr.

Pennod 3

Roedd gan Heti gyfrinach fawr. Dim ond Cadi a Daf oedd yn gwybod am ei sgiliau anhygoel. Oherwydd roedd Heti yn medru siarad unrhyw iaith dan haul, ac nid dim ond ieithoedd dynol chwaith, ond iaith pob anifail hefyd. Pob un. Medrai ymgomio ag adar, cyfnewid clecs â chlêr, sgwrsio ag ystlumod mewn llais uchel iawn, iawn, iawn, a dadlau â phob math o anifeiliaid gwyllt a dof. Heb sôn am siarad ieithoedd megis Bantu, Wu, Rwsieg, Mandarin, Marathi, Tamil a Ffrangeg, ymhlith y chwe mil a hanner o ieithoedd y byd. Ac roedd Heti'n medru siarad pob un ohonyn nhw. Yn berffaith.

Ar un trip i lan y môr, llwyddodd i ofyn i forlo fynd i bysgota ar ei rhan. A dim ond wythnos yn ôl, cafodd y profiad anghofiadwy o siarad â malwen oedd yn bwyta deilen bresych, a darganfod bod malwod yn gwneud popeth yn araf iawn, a brawddeg yn cymryd deng munud i'w dweud.

Gofynnodd Cadi i Heti a fyddai'n fodlon mynd gyda hi i siarad â'r teigr. Atebodd Heti fel petai hi'n gofyn iddi am help â'i gwaith cartref.

'Pryd ti eisiau mynd?' gofynnodd Heti.

'Nawr,' meddai Cadi. 'Mae'r prifathro allan ar y cae rygbi'n dangos sut i blygu'r rheolau. Gallwn fynd i'w swyddfa nawr.'

Curodd y ddwy ar ddrws yr ystafell jest rhag ofn. Doedd dim siw na miw i'w glywed, felly i mewn â nhw fel lladron golau dydd, drwy ystafell yr ysgrifenyddes ac yna'n syth yn eu blaenau i ystafell Mr Dŵm.

Roedd y teigr yn eistedd yn y gornel yn bwyta'r asgwrn mwyaf erioed, rhywbeth tebyg i ddarn o asgwrn cefn dinosor. Roedd y ffaith ei fod yn bwyta'r asgwrn yn rhywfaint o gysur iddyn nhw. O leiaf roedd e wedi bwyta, felly efallai na fyddai'n awyddus i larpio dwy ferch fach ddiniwed oedd ddim ond wedi dod i ddweud helô.

'Helô,' meddai Heti yn ei theigr gorau, sŵn cath fawr yn canu grwndi.

'Helô,' meddai'r teigr, gan golli diddordeb yn yr asgwrn, ac edrych yn graff ar y ferch fach ddeuddeg oed oedd yn siarad ag e mewn acen ryfedd.

'Heti ydw i, a dyma Cadi. Ry'n ni wedi dod i wneud yn siŵr dy fod yn cadw'n iawn.'

'O, mae'n well yn fan hyn nag yn y syrcas. Deng mlynedd fues i yn Harold Evans' Big Top. Roedd pobl yn greulon iawn wrtha i a phob un o'r anifeiliaid eraill. Torrodd yr eliffant ei galon yno, ac roedd y jiráff yn gorfod cymryd tabledi at ei nerfau. Ond mae Mr Dŵm yn prynu'r cig gorau i mi. Ble arall fyddai teigr yn cael stêc drwchus, ffres i frecwast, cinio a swper?'

'Nag y'ch chi'n blino bwyta stêc drwy'r amser?'

'Wel, ambell waith dwi'n dechrau meddwl sut flas fyddai ar groten ysgol.'

Daeth cwmwl o ofn dros lygaid Cadi, cyn i'r teigr agor twnnel mawr ei geg a chwerthin yn uchel.

'Sorri,' meddai'r teigr. 'Roedd e'n gyfle rhy dda i'w golli.'

'Ga i ofyn pwy yw Mr Dŵm?' mentrodd Heti. Ond cyn i'r teigr ateb, dyma nhw'n clywed rhywun yn dod. Roedd jest digon o amser iddyn nhw guddio y tu ôl i'r bocs mawr pren y cludwyd y teigr ynddo, cyn i Mr Dŵm gerdded i mewn. Eisteddodd wrth ei ddesg.

'Helô, Pwsi Meri Mew,' meddai Mr Dŵm wrth y teigr.

'Rrrrrhaw,' atebodd y teigr, gan daro bariau ei gaets er mwyn denu sylw'r prifathro oddi wrth ei ddau ffrind newydd, oedd yn cuddio'n grynedig y tu ôl i'r bocs.

Gallai Cadi glywed ei chalon yn curo, ac roedd Heti yn ofni'r gwaethaf. Ond wrth lwc, dyma nhw'n clywed cadair y prifathro'n gwichian wrth iddo godi i adael yr ystafell. Roedd rhywbeth ar y cae rygbi wedi denu ei sylw, ac roedd ar ei ffordd yn ôl yno i sefyll ar ymyl môr o fwd. Roedd Mr Dŵm yn mwynhau rygbi lot mwy na dysgu.

'Nawr,' gorchmynnodd Cadi, wrth i'r ddwy fynd am y drws, gan ffarwelio â'u ffrind.

Rhuodd y teigr ffarwél, gan wneud sŵn fel corwynt yn chwythu drwy organ eglwys oedd ar dân.

Pennod 4

Os oedd Daf yn meddwl bod yr ysgol yn hollol nyts ar ddiwrnod cyntaf Mr Dŵm, roedd yr ail ddiwrnod yn gwneud i'r diwrnod cynt edrych yn ddim byd. I ddechrau, roedd yr enw wedi newid, a'r arwydd wrth frig gatiau'r hen ysgol yn datgan yn glir taw dyma 'Academi Ddysgu Mr Dŵm'. O dan yr enw hwnnw, gallech ddarllen yr arwyddair: 'Nid da lle gellir drwg'.

'OMG,' meddai Cadi wrth ddarllen yr arwydd. 'Mae heddi'n mynd i fod yn dipyn o reid, dybia i.'

'OMB, ti'n feddwl? O, Mam bach. Cofia taw ysgol Gymraeg yw hon.'

'Oedd hi,' atebodd Cadi.

Cloch yr ysgol oedd y newid cyntaf, a'i sŵn newydd anhygoel o uchel fel larwm tân neu rybudd ymgyrch fomio adeg y rhyfel. Pan gyrhaeddodd pawb y neuadd fawr, doedd dim un o'r hen athrawon yn bresennol. Dim Tomi Tomatos, Greasy Ev, Walters Welsh na Minny Maths. Yn eu lle, roedd rhai o'r dihirod mwyaf amheus yr olwg, fel petaen nhw wedi camu o ddiwedd rhaglen *Crimewatch*, sy'n dangos y crwcs i gyd. Dim ond un oedd yn gwisgo siwt, a siwt nofio oedd honno, i fynd gyda phâr o fflip-fflops a thywel mawr lliw banana dros ei ysgwydd. Edrychai fel rhywun ar ei ffordd i'r pwll nofio yn hytrach nag i'r ystafell ddosbarth.

'Hoffwn i gyflwyno rhai o'r staff newydd i chi, gan fod yr hen rai wedi ymddiswyddo gyda'i gilydd neithiwr. Does gen i ddim syniad pam y digwyddodd hynny. Felly, dyma Don Econ. Codwch ar eich traed. A Morris y Beic, sy'n mynd i roi gwersi moto-beic i chi ar dir yr ysgol, a Barry Thousand Metres, fydd yn rhoi gwersi nofio ...'

Cododd y dyn mewn fflip-fflops ar ei draed a gwenu fel petai newydd ennill yn y Gemau Olympaidd.

Fesul un, cyflwynwyd y casgliad rhyfeddaf o athrawon.

Roedd amserlen y dydd yn hollol wahanol i'r un o'r blaen. Yn y wers ddwbl Technoleg Bwyd, roedd dosbarth Daf i fod i ddysgu sut i wneud cacen gaws â lemwn, a phawb wedi dod â'r cynhwysion angenrheidiol gyda nhw. Ond pan ddaeth yr athro newydd i mewn, dywedodd wrth y dosbarth am daflu'r rheini, ynghyd â'r holl offer, i'r twba sbwriel mawr arian yng nghornel yr ystafell. Edrychodd y disgyblion yn syn ar y silffoedd gwag a'r wyau wedi torri yn gorwedd yn slwtsh ar y llawr.

'Rwtsh yw'r holl stwff coginio 'ma, a rhoi "help i chi i fyw'n annibynnol ar ôl dyddiau ysgol". Dim ond un peth sydd ei angen arnoch chi, fel y gwelwch chi yn y wers heddiw.'

Cerddodd yr athro at y bwrdd gwyn, ac ysgrifennu cyfres o rifau arno:

349 88374

599 78554

666 98982

281 55355.

'Nawr 'te, pwy all ddweud wrtha i beth yw arwyddocâd y rhifau yma?'

'Sorri, syr, nid gwers Mathemateg yw hon, ond gwers Technoleg Bwyd,' meddai Harri Meilir, un o'r bechgyn mwyaf deallus yn y dosbarth.

'Rwy'n deall hynny, pync. Talwch sylw, a bydd hi'n dipyn haws byw'n annibynnol. Rhywun? Rhywun yn gwybod beth yw'r rhifau yma? Na? Wel, gadewch i fi roi cliw i chi.'

Cododd ei ffôn symudol o'i boced, a gofyn i Bethan Jenkins ddewis rhif o blith y pedwar. Wrth iddi adrodd y rhifau fesul un, dyma'r athro'n eu deialu, gan roi'r ffôn ar *speaker* yr un pryd.

Clywodd y dosbarth yr enw'n cael ei adrodd yn glir.

'Magic Pizza Company, how can I help you?'

'I'd like six eighteen-inch pizzas, please, all with ham and pineapple. And some cookies for dessert, please.'

Cyrhaeddodd y fan *pizzas* hanner awr yn ddiweddarach, ac erbyn hynny roedd yr ystafell ddosbarth wedi ei thrawsnewid yn ystafell-ar-gyfer-parti, gyda balŵns a rhubanau o bapur arian ym mhobman. Roedd miwsig yn chwarae'n uchel iawn a rhywun wedi rhoi goleuadau disgo i hongian o'r nenfwd. Doedd dim dwywaith amdani. Hon oedd y wers Technoleg Bwyd orau erioed erioed.

Ar ôl amser cinio roedd y wers Economeg, ond roedd yr ystafell yn hollol wag – dim desgiau na chadeiriau, ar wahân i un gadair arian enfawr oedd yn edrych fel y math o gadair lle byddai brenhines neu frenin yn plannu ei ben-ôl. Yn eistedd arni roedd dyn bach tenau, a'i lygaid yn symud yn ôl a blaen fel pysgodyn aur mewn bowlen.

'Prynhawn da,' meddai mewn llais main, tenau, y math o lais fyddai gan greadur fel gwenci mewn cartŵn.

'Heddiw, ry'ch chi'n mynd i ddysgu am arian a chyfoeth. Ac yn bwysicach na gwybod am y ddau beth yma, ry'ch chi'n mynd i ddysgu sut i'w creu nhw. I chi eich hun. Gadewch i fi ddangos i chi sut … Nawr, rwy eisiau dau wirfoddolwr. Pwy sy'n fodlon helpu? Dewch 'mlaen, nid cwestiwn oedd hwnna, ond gorchymyn.'

Rhoddodd rhywun sgwt yng nghefn Daf a Cadi, a

dyma'r ddau'n sefyll gerbron y dyn â'r llais fel gwenci, yn aros am y wers gyntaf.

'Nawr 'te, mae gen i wyth peth yn fy mhocedi, wyth peth gwerthfawr, ac rwy am i chi eu cymryd allan o 'mhocedi i heb i mi wybod eich bod yn gwneud hynny.

'Felly, y peth pwysig yw eich bod yn gwneud yn siŵr bod eich symudiadau'n bendant, ond eich bod yn gwybod beth yw'r ffordd orau o symud i mewn. A gweithio fel tîm, wastad. Nawr, mae gen i waled ym mhoced gefn fy nhrowsus, felly os y'ch chi ...'

'Dafydd.'

'Os y'ch chi, Dafydd, yn mynd i gymryd y waled mas, beth yw'r peth gorau all Cadi ei wneud i'ch helpu?'

Oedodd Dafydd am ychydig eiliadau, cyn awgrymu taw'r peth gorau i Cadi ei wneud fyddai tynnu sylw'r athro oddi wrth Daf mewn rhyw ffordd.

'Da iawn,' meddai'r athro. 'A gall hyn fod yn unrhyw beth. Cerdded yn syth i mewn i mi. Gadael i rywbeth gwmpo ar y llawr o 'mlaen i. Yr amseru sy'n bwysig.'

Doedd Dafydd ddim yn teimlo'n dda am yr hyn roedd yr athro'n ei argymell. Roedd ei fam wastad wedi dweud bod dwyn yn beth drwg, a dyma'r morgrugyn yma o athro'n mynnu mai fel arall roedd hi. Ond doedd ganddo ddim dewis. Arhosodd i Cadi gerdded at yr athro a gadael i'w phwrs gwympo i'r llawr, cyn symud i mewn y tu ôl i'r athro a mynd am y waled, ei law'n symud yn chwim ac yn bendant. Synnodd o weld y waled yn ei law, ac wrth i Cadi wneud y ffys ryfeddaf ynglŷn â'i phwrs, chwiliodd Daf i weld a oedd rhywbeth ym mhoced siaced yr athro. Mewn chwinciad, neu lai na chwinciad, cafodd afael mewn wats hen ffasiwn, a chuddiodd y ddau beth yn syth a cherdded i ben draw'r ystafell. Ac erbyn hyn, roedd Cadi wedi rhoi popeth yn ôl yn ei bag hithau.

'Da iawn chi. Fe gafoch chi'r waled, yn do?'

A dyma Daf yn dangos y waled, a'r wats, a'r athro'n chwerthin yn braf o weld bod y crwtyn bach wedi mentro yn y fath fodd.

'Reit 'te. Eich gwaith cartref heno fydd mynd i'r dre i weld beth sydd ym mhocedi'r trigolion. Gweithiwch mewn parau, a dewch ag unrhyw beth gwerth chweil i'r wers nesa ddydd Iau. A chofiwch, mae angen cyfuniad o ddau beth – tynnu sylw a dim tynnu sylw. Ac os yw'r ddau beth yn digwydd yn union yr un pryd, bydd popeth yn iawn.'

Iawn? Sut oedd hyn yn iawn? meddyliodd Daf a Cadi a gweddill y plant da.

Y noson honno, aeth holl blant y dosbarth i ganol y dref, a llwyddodd pob un ohonyn nhw i wneud eu 'gwaith cartref' heb gael eu dal. Pla o ladron yn yr archfarchnadoedd. Bagiau'n diflannu oddi ar ysgwyddau siopwyr, a nifer o alwadau brys i'r heddlu'n cael ymateb llugoer, os o gwbl. Pam? Oherwydd bod pennaeth newydd ar yr heddlu. Ifor Dŵm, brawd mawr y prifathro, oedd wedi rhoi gorchymyn i'w staff i anwybyddu'r ffôn am sbel. Roedd y dref i gyd yn newid. A hen wragedd yn bolltio'r drws ffrynt cyn mynd i'r gwely.

Yn nes ymlaen y noson honno yn ei ystafell wely, syllodd Daf ar y pwrs coch a ddaeth o got law hen fenyw, a theimlo'n wael iawn, iawn am ei gymryd. Edrychodd drwyddo, a dod o hyd i'w cherdyn bws, ynghyd â llythyr a'i henw a'i chyfeiriad arno. Penderfynodd y byddai'n mynd yno yn y bore i roi cynnwys y pwrs yn ôl iddi, ac y byddai'n cadw'r pwrs fel tystiolaeth. Doedd e ddim am beidio â gwneud ei waith cartref, oherwydd doedd e ddim am gael ei fwydo i'r teigr, ond roedd Mam wastad wedi dweud bod dwyn yn beth drwg.

Y bore wedyn, safai Mr Dŵm o flaen yr ysgol a'r teigr wrth ei ochr.

'Dwi am gyhoeddi y bydd disgybl yr wythnos yn cael gwobr o bum can punt.'

Synnodd y plant o glywed hyn, oherwydd roedd disgybl yr wythnos dan yr hen drefn yn derbyn medal blastig i'w chadw am wythnos yn unig.

'Ond cofiwch ... nid da lle gellir drwg, ac nid drwg

lle gellir gwaeth. Dwi am i'r academi hon ddathlu creadigrwydd mewn drygioni. Mae bod yn slei yn benigamp. Mae twyllo'n wych. Mae bod yn lleidr da'n rhywbeth i'w ddathlu.'

Dros yr wythnosau nesaf, newidiodd pethau yn yr ysgol, neu'r academi, yn sylweddol.

Y newid mwyaf, efallai, oedd y rheolau newydd ynglŷn â gwisg ysgol. Lle gynt roedd yn rhaid cydymffurfio â rheolau llym, nawr roedd y disgyblion yn cael gwneud yr hyn a fynnent. Dim mwy o grysau gwyn a theis, ffurfioldeb a dillad teidi. Daeth lledr yn ffasiynol, ac roedd hyd yn oed y plant mwyaf confensiynol yn gwisgo jîns, a'r rheini wedi eu gorchuddio â sloganau: 'Man U', 'Doom Always Wins', 'Cofiwch Dryweryn'. A lle gynt roedd gwaharddiad ar wisgo gemwaith o unrhyw fath, dechreuodd y Dwmsters wisgo'r bling rhyfeddaf, clustdlysau aur a mwclis trwm.

A dim mwy o wallt trwsiadus, glân. Un diwrnod daeth Sparky Morgan o Flwyddyn 11 i'r ysgol â rhan helaeth o'i ben wedi'i eillio, a mohican pinc. Ac erbyn diwedd yr wythnos, roedd bron pawb wedi dilyn ei esiampl. Roedd ganddyn nhw wallt o bob lliw – leim, porffor, coch llachar a gwyrdd lliw lawnt. Roedd gwallt y plant yn un reiat o liw.

Dan yr hen drefn, roedd un ystafell lle na châi'r un disgybl fentro, sef ystafell yr athrawon. Ond dan y drefn newydd, trodd y lle'n glinig creu tatŵs. A phan ddechreuodd y rhieni gwyno, fe'u hatgoffwyd yn blwmp ac yn blaen, os oedd gan rhywun gŵyn, y dylid cysylltu â'r Cyfarwyddwr Addysg a oedd yn gyfrifol am holl ysgolion y sir, sef Mr Illtyd Dŵm, brawd arall y prifathro. Daeth yn amlwg yn gyflym iawn na fyddai'r un llythyr i'r Adran Addysg yn mynd fawr pellach na'r twba sbwriel.

Ac er mwyn addurno'r clinig tatŵs, ac yn wir furiau eraill yr ysgol, cynhaliwyd cystadleuaeth gelf, lle roedd pob disgybl yn cael dau dun o baent a rhwydd hynt i greu graffiti ar hyd y lle. O fewn dim, roedd y coridorau'n edrych fel y sybwe yn Efrog Newydd, a phrin bod yr un fodfedd heb graffiti o ryw fath drosti: enwau hoff fandiau, timau pêl-droed, a'r un mwyaf poblogaidd, 'Dŵm Rules'.

Pennod 5

Tatŵs! Dechreuodd yr inc ymddangos ar groen y disgyblion, neu'r Ddisgyblaeth fel y dechreuon nhw sôn amdanyn nhw eu hunain, yn rhyfeddol o sydyn – llythrennau 'D' mawr ar dalcennau'r chweched dosbarth nes eu bod yn edrych fel llwyth egsotig o wlad arall.

Ond doedd y rhain yn ddim byd o'u cymharu â'r hyn a ddechreuodd ymddangos ar fochau rhai o'r plant eraill. 'A.D.' wedi'i datŵio ar un foch, 'v' ar eu gên ac 'Y.Y.' ar y foch arall. 'A.D.' am Academi Dŵm ac 'Y.Y.' am Ysgol Ystog, sef yr ysgol uwchradd yn y cwm nesaf a oedd yn hen elynion. Datganai wynebau'r plant felly eu prif bwrpas ar y ddaear, sef brwydro yn erbyn yr ysgol arall. A.D. *versus* Y.Y. Ar eu hwynebau! Am byth!

Ac fe newidiodd yr elyniaeth o fod yn frwydr wyth deg munud ar y cae rygbi i fod yn rhyfel go iawn. Yn wir, newidiodd y bêl rygbi ei hun yn y gemau yn erbyn Ysgol Ystog. Gludodd yr athro rygbi, Jerry Studs, sbeiciau metel, siarp i'r lledr i'w gwneud yn anodd iawn dal y bêl heb gael loes. Heb wisgo menig, hynny yw – a dim ond tîm yr Academi oedd wedi meddwl gwisgo rhai.

Yn y gêm bêl-droed flynyddol rhwng yr ysgolion, clymwyd pob chwaraewr â darn hir o raff wrth byst y tu ôl i'r gôl. Roedd rhai darnau'n hirach na'i gilydd, felly roedd yn anodd i bawb redeg mor bell ag y dymunent.

Ond doedd hynny'n ddim byd o'i gymharu â'r hyn a ddigwyddodd yn y gêm bêl-rwyd. Yn y gêm honno, roedd y ddau dîm yn chwarae yn erbyn eu hamser eu hunain, oherwydd roedden nhw wedi cyfnewid y bêl am octopws enfawr, a'r creadur yn goesau neu dentaclau i gyd wrth iddo fynd dros y rhwyd gan ddychryn pawb. Roedd trip yr ysgol i Sw'r Ddinas wedi bod fel trip siopa i'r disgyblion drwg ac roedd yr octopws ymhlith hanner dwsin o greaduriaid ddiflannodd o'u cartrefi y tu ôl i wydr. Cafodd y bws ei stopio gan yr heddlu ar y ffordd adref a bu'n rhaid i Kevs Blwyddyn 9 ddangos beth oedd e'n ei guddio o dan ei got *parka*, sef pengwin. Bu'n rhaid mynd â hwnnw'n ôl, ond doedd yr heddlu ddim wedi dychmygu y byddai criw o blant ysgol yn dwyn octopws, a'i gario oddi yno mewn rycsac yn llawn dŵr. Doedden nhw ddim wedi dychmygu chwaith y byddai perchennog y sw yn eu ffonio nhw'r bore wedyn i ddweud bod neidr wenwynig wedi diflannu.

Pan ddywedwyd y byddai crocodeil yn y dŵr yn

ystod y gystadleuaeth nofio, roedd yr holl beth yn swnio fel nonsens. Ond wrth i'r plant baratoi i blymio i'r dŵr, gwelsant gorff hir, gwyrdd a chanddo gynffon bwerus yn symud yn beryglus ac yn awchus tuag atyn nhw. Dim ond un disgybl oedd yn ddigon doeth, neu annoeth, i lamu i'r dŵr, ac yn rhyfedd iawn, crwtyn o'r Ystog oedd hwn. Fe lwyddodd i nofio'n gryf a chyrraedd yr ochr arall cyn i'r crocodeil gael cyfle i sylwi bod swper bach wedi ei heglu hi heibio. Roedd hyd yn oed Mr Dŵm, oedd yn sefyll wrth ochr y pwll yn ei lifrai du fel dyn trefnu angladdau, wedi cymeradwyo'r crwt. Ar ôl i bawb adael, bwydodd y byrgers oedd ar ôl o'r ffreutur y diwrnod hwnnw i'r crocodeil.

Yn yr un modd, twyllwyd cystadleuwyr yn y ras droed rhwng y ddwy ysgol. Dywedwyd bod sneipars yn disgwyl amdanyn nhw wrth iddyn nhw gyrraedd Tonysguboriau, neu bod meinffild ym Meisgyn. Roedd yn rhyfel seicolegol yn ogystal â chorfforol, a doedd plant Ysgol Ystog byth yn gwybod a oedd y storïau'n wir ai peidio. Ac ar ôl y wers Technoleg Gwybodaeth, lle dysgwyd sut i hacio cyfrifiaduron yr ysgol arall, roedd lledaenu ofn a gwybodaeth ffals yn hawdd iawn, iawn.

Dro arall, yn y gystadleuaeth athletau, cyfunwyd dau beth gwahanol – y ras 1000 metr a'r gystadleuaeth taflu gwaywffon, â gwaywffyn yn cael eu taflu tuag at y rhedwyr. Ac yn ras y marathon, newidiwyd y rheolau i ganiatáu i'r plant ddefnyddio *mobility scooters*. Y diwrnod hwnnw, roedd sawl tad-cu a mam-gu wedi gorfod aros adref oherwydd bod eu sgwters wedi diflannu.

Ie, rhyfel oedd hwn, ac o dipyn i beth, dechreuodd Ysgol Ystog wrthod gwahoddiadau i gystadlu yn erbyn yr Academi. Roedd gan y lle enw drwg.

Ond doedd hynny'n ddim byd o'i gymharu â'r hyn a ddigwyddodd wrth i'r plant geisio ennill teitl Disgybl yr Wythnos.

Pum can punt? Daeth grwpiau bach o ddisgyblion at ei gilydd yn ystod yr awr ginio i gynllunio. Penderfynodd un grŵp y bydden nhw'n cael Daf bach i drwbl, cymaint o drwbl yn wir nes y byddai pob aelod o'r grŵp yn ennill pum can punt.

Pennod 6

Mae 'na ambell ddiwrnod gwael mewn bywyd, lle mae eich ffrind gorau'n dweud rhywbeth cas wrthych, yn eich galw chi'n lembo neu'n dwpsyn neu waeth. Neu mae'r iPhone7 yn cwympo o'ch poced yn syth i mewn i'r tŷ bach, gyda phlop fel morfil yn codi'i gynffon. Ond does dim byd i'w gymharu â'r diwrnod gwael gafodd Daf. Cafodd y diwrnod gwaethaf erioed, erioed, erioed. Os nad gwaeth na hynny, hyd yn oed ...

'Ai chi yw mam Dafydd Huw Meirion?' gofynnodd y plisman tew oedd yn sefyll ar stepen y drws.

O glywed geiriau'r plisman, newidiodd wyneb Mrs Meirion. Edrychai fel rhywun oedd newydd sylwi bod ei dillad ar dân.

'Beth sy'n bod? Ody e'n iawn? Sdim damwain wedi bod? Dim damwain car? O, diar mi.' Chwifiodd ei breichiau o gwmpas i ddiffodd y fflamau bach oren oedd yn tasgu allan o'i dychymyg.

'Mae'n iawn Mrs ... Meirion. Mae Dafydd yn ddiogel.'

'O, diolch byth am hynny.'

'Mae'n ddiogel ... yn yr orsaf.'

'Beth y'ch chi'n feddwl, gorsaf? Yr orsaf drenau? Beth mae Dafydd Bach yn ei wneud lawr yn yr orsaf? Dyw e ddim yn dal trên …'

'Gorsaf yr heddlu, madam. Mae e'n ddiogel yn y gell.'

'Cell. Pa gell? Dy'ch chi ddim yn dweud bod ein Dafydd ni yn y gell? Lle maen nhw'n dodi'r bobl ddrwg? OMB, peidiwch â dweud ei fod e mewn gyda'r llofruddwyr.'

Gallai mam Dafydd weld ei bachgen bach ynghanol ystafell frics, wedi ei amgylchynu gan ddynion hyll yr olwg, a hyll eu heneidiau, gyda chyllyll a gynnau. Dynion ag aeliau mawr, trwchus a llygaid cas, glasoer. Ac roedd hynny'n agos at y gwirionedd, gwaetha'r modd.

Oherwydd dyna'n union lle roedd Dafydd Bach, a'i ben yn ei ddwylo, yn beichio llefain.

Daeth llais o'r twll bach yn y drws metel, trwm.

'Paid â phoeni. Fe allai pethau fod yn waeth. Bydd dy fam neu dy dad yma unrhyw bryd nawr. Ond yn y cyfamser, wyt ti eisiau bwyd? Mae 'da ni fara sych ac un sleisen o ham sydd wedi gweld dyddiau gwell. Ond fy nghyngor i yw i ti gau dy lygaid a breuddwydio am ASDA.'

Pan gyrhaeddodd mam a thad Daf yr orsaf, roedd y ddau'n credu y byddai hynny'n ddigon ynddo'i hun i gael Daf yn rhydd. Ond oherwydd natur y cyhuddiad yn ei erbyn, doedd dim gobaith caneri i hynny ddigwydd. Oherwydd roedd Daf wedi cael ei gyhuddo o ddwyn teigr a llond lle o bethau costus a drudfawr o Academi Mr Dŵm, ac roedd y waledi, y watsys a'r gemwaith a ddarganfuwyd o dan ei wely yn perthyn i bobl drwy'r dref i gyd.

'O diar,' meddai mam Daf. 'O diar, o diar, o diar, o diar …'

Pennod 7

Wrth gludo Daf o orsaf yr heddlu i'r llys, bu'n rhaid i'r gyrrwr frecio'r cerbyd yn sydyn oherwydd damwain car o'i flaen. Pan ddaeth rhywun i ofyn am ei help, esboniodd nad oedd yn medru gadael y fan oherwydd ei fod yn cludo troseddwr peryglus i'r llys. Edrychodd Daf o'i gwmpas yng nghefn y fan i weld ble roedd y troseddwr, nes iddo sylweddoli mai ato fe roedd y gyrrwr yn cyfeirio. Os mai hunllef oedd hon, gobeithiai y byddai'n dihuno cyn hir, oherwydd dyma'r hunllef waethaf y gallai bachgen 13 mlwydd oed ei chael.

Yn y llys, roedd Mr Dŵm y barnwr – sef trydydd brawd y prifathro – yn syllu ar bawb yn grac.

'Nesaf,' gwaeddodd yn gras. 'Pawb i sefyll ar eu traed.'

Llusgwyd Daf i ganol y llys, a cheisiodd osgoi edrych ar y pryder yn wynebau ei rieni.

'Beth yw eich enw?'

'Dafydd Meirion.'

'A'ch cyfeiriad?'

'Rhif 2, Llety'r Gwenith, Pentre Cwrt.'

'Beth yw'r cyhuddiadau yn ei erbyn?' gofynnodd i'r clerc.

Dechreuodd y clerc ddweud beth oedd y cyhuddiadau, a bu'n eu rhestru am dros chwarter awr. Roedd Dafydd Bach mewn trwbl mawr. Na. Trwbl enfawr.

Galwodd clerc y llys ar y tyst cyntaf, a dechreuodd y poer sychu yng ngheg Daf pan welodd Iolo Ffags yn camu ymlaen. Gwyddai fod Iolo yn medru dweud celwydd gyda'r gorau oherwydd roedd e wedi ennill cystadleuaeth dweud celwydd yn eisteddfod yr ysgol rai wythnosau'n ôl.

Camodd Iolo i'r bocs o flaen y llys â gwên faleisus yn llenwi ei wyneb. Taflodd winc slei i gyfeiriad Daf, oedd yn ceisio stopio'i goesau rhag crynu.

'Gawn ni eich enw llawn a'ch cyfeiriad, Mr Tooligan?'

'Iolo Tooligan, odli da "hooligan". Number 9, The Slippery Slope, Panteg, Carmarthenshire.'

Wedi iddo ddweud hynny, dyma'r cwestiynau'n dechrau llifo fel afon …

'Ble roeddech chi tua hanner awr wedi naw ar noson y 13feg o Fedi?'

'Yn cerdded lawr Stryd y Broga.'

'Ga i ofyn pam, Mr Tooligan?'

'Pam?'

'Ie, pam oeddech chi'n sefyll y tu allan i dŷ'r diffynnydd yn hwyr y nos?'

'Oherwydd fy mod i'n chwilio am fy stwff.'

'Eich stwff?'

'Ro'dd rhywun wedi dwyn fy ffôn, fy watsh a llun Gareth Bale wedi ei lofnodi gan Gareth Bale ei hun, heb sôn am yr holl stwff arall oedd wedi diflannu.'

'Pam o'ch chi'n meddwl taw'r diffinnydd oedd wedi eu dwyn nhw?'

'Oherwydd ei fod e wedi dweud wrth ei ffrind fod ganddo werth ffortiwn o stwff.'

'Stwff fel eich stwff chi?'

'Ie, syr.'

'A beth oeddech chi'n gobeithio'i neud? Dwyn y stwff yma'n ôl?'

'Dweud wrth yr awdurdodau, syr.'

Gwyddai Daf nad oedd Iolo Ffags wedi galw 'syr' ar unrhyw un yn ei fywyd o'r blaen, oedd yn cadarnhau taw act oedd hyn i gyd, ond act allai arwain at drasiedi i Daf druan.

Cyn i'r cyfreithiwr gael cyfle i ofyn cwestiwn arall, dyma grash enfawr wrth i rywbeth fwrw ffenest fawr y llys.

'Fwltur,' meddyliodd y barnwr. 'Mae hynny'n arwydd fod fy mrawd yn siŵr o fod yn agos. Ac yn wir, dyma Mr Dŵm y prifathro yn cerdded i mewn ac yn eistedd yn oriel y cyhoedd. Gwenodd ar ei frawd, oherwydd, o'r tri brawd, fe oedd ffefryn Mr Dŵm y prifathro. Roedd Mr Dŵm y barnwr hefyd yn hoff iawn o'i frawd bach. Wrth iddo eistedd i lawr gwelodd Daf fod hanner dwsin o'i gyd-ddisgyblion yn eistedd yno'n barod, sef Miriam Llewenny, Robbie T, Billy Trots, Badger, Sam Summer a Mali Blythe. Gwenodd ar Miriam, oedd yn hen ffrind iddo, ond edrychodd hi'n ôl â llygaid fel iâ. Roedd yr oerfel ynddyn nhw'n ddigon i rewi gwaed Daf. Beth oedd wedi digwydd i blant yr ysgol? I'w hen ffrindiau fel Miriam? Ro'n nhw fel sombis. Ond sombis oedd wedi dechrau gweiddi gyda'i gilydd, fel torf yn gwylio gêm bêl-droed.

'Carchar am byth! Carchar am byth!'

Bu'n rhaid i'r barnwr ofyn iddyn nhw i gyd dawelu gan fygwth eu hanfon nhw i garchar am aflonyddu ar y llys. Ond roedd y digwyddiad wedi ypsetio Daf hyd yn oed yn fwy na chael ei lusgo i'r llys yn y lle cyntaf. Roedd e ar fin llefain, ond roedd 'na lais bach y tu mewn iddo yn dweud na fyddai hynny yn gwneud dim lles i'r achos. Felly ffrwynodd ei hun wrth i'r achos ailddechrau. Yng nghanol ei gyd-ddisgyblion bwydai Mr Dŵm Jac y fwltur â pheli cig. Taflodd un ar ôl y llall i ganol pig siarp yr aderyn, oedd yn amlwg yn hapus i lowcio cynnwys y pecyn i gyd, oedd yn ddigon i fwydo deg oedolyn dynol, yn ôl yr hyn oedd ar y paced.

'A beth ddigwyddodd wedyn?' gofynnodd y cyfreithiwr i Iolo.

'Doedd dim golau yn y tŷ ac felly penderfynodd y ddau ohonon ni …'

'Dau? Roedd 'na ddau ohonoch chi? Doeddech chi ddim ar eich pen eich hun?'

'Na. Roedd Twm Twm gyda fi.'

'Diolch. Cariwch ymlaen.'

'Ie, wel, penderfynodd y ddau ohonon ni dorri i mewn i'r tŷ.'

'Wela i. Sut?'

'Ro'n ni wedi cael gwersi ar sut i agor clo gan leidr ddaeth i mewn i'r ysgol. "You never know when knowing how to pick a lock can come in handy," ddywedodd y dyn 'ma oedd wedi bod yn y carchar am bum mlynedd. Yn y wers trosglwyddo arian.'

Edrychodd y dyn yn syn ar Iolo.

'Ry'n ni'n dysgu sut i drosglwyddo arian o boced rhywun arall yn syth i'n pocedi ni.'

'Dwyn yw'r enw am hynny,' awgrymodd y cyfreithiwr.

'Trosglwyddo arian yw'r enw ry'n ni'n ei ddefnyddio,' atebodd Iolo, oedd wedi blino bod yn boléit. Roedd e am boeri. Roedd e am ymladd, ac yn sicr roedd e am regi, gan ei fod newydd glywed am ei enwebiad i gynrychioli'r ysgol mewn cystadleuaeth rhegi.

'Ry'ch chi'n cael gwersi sut i bigo clo? Yn yr

ysgol? Rhyfedd o beth,' meddai'r cyfreithiwr, oedd yn dechrau meddwl bod hwn yn un o'r achosion mwyaf rhyfedd yn ei hanes.

Diolchodd i Mr Tooligan a gofyn i Thomas Thomas gamu ymlaen. Unwaith roedd Thomas wedi gorffen rhoi tystiolaeth, dyma nhw'n gosod ar y bwrdd yr holl bethau yr oedd yr heddlu wedi eu darganfod yn stafell wely Daf.

Suddodd calon Dafydd wrth weld y pentwr o dystiolaeth yn tyfu o flaen ei lygaid. Gwyddai y byddai'n anodd iawn iddo brofi nad oedd e'n lleidr o'r radd flaenaf.

O'r diwedd, dyma nhw'n galw Dafydd i sefyll ger eu bron.

Ar ôl iddyn nhw ofyn cant a mil o gwestiynau iddo fe, gan wneud i'w ben droi, dyma nhw'n gofyn iddo fe sut roedd e'n pledio, yn 'euog' neu 'yn ddieuog'. Er bod Daf yn gwybod yn iawn nad oedd e'n euog o unrhyw beth, sibrydodd y gair 'euog' o dan ei wynt. Gair bach syml fyddai'n ymestyn yn hir. Mor bell â phum mlynedd, yn wir, oherwydd dyna oedd y ddedfryd. Pum mlynedd o garchar oherwydd cyhuddiad ffug. Heb yn wybod i Daf, roedd hanner y dosbarth wedi cymryd rhan yn hyn i gyd, arbrawf ar y cyd rhwng wyth o bobl, sef sut i gael person dieuog i lot fawr o drwbl. Dyna'r math o bethau roedden nhw'n eu dysgu yn y gwersi 'Twyll', a gan fod Daf Bach yn ddieuog, ac wedi ei dwyllo, ac mewn trwbl mawr, byddai marciau llawn i bawb gymerodd ran yn yr arbrawf.

Ond nid arbrawf oedd y trip yn y fan gyda phump oedolyn ffyrnig yr olwg ar ei ffordd i un o'r carchardai gwaethaf ym Mhrydain. Adeiladwyd Dartfield dros ddau gan mlynedd yn ôl, yn ystod y rhyfel yn erbyn Napoleon Bonaparte, pan oedd dynion yn ymladd mewn dillad coch, nid gwyrdd fel heddiw. Doedd y cyfleusterau ddim wedi newid ryw lawer dros y canrifoedd. Wrth yrru ar hyd yr hewl a arweiniai at y carchar, gallai Daf weld drwy ffenest gul y fan eu bod nhw wedi gadael y byd go iawn erbyn hyn – doedd dim gwifrau trydan i'w gweld yn unman.

Wrth iddo fynd i mewn i'r fan, dywedodd un o'r swyddogion wrth Daf nad oedd plant fel arfer yn cael eu hanfon i Dartfield, ond roedd prinder lle yn y carchardai ym mhob rhan o Brydain. Felly, dros dro gobeithio, roedd yn rhaid i Daf fynd i'r carchar gwaethaf un yng ngwledydd Prydain.

'Mae hyn yn waeth na mynd i garchar,' meddai'r swyddog wrth arwain Daf drwy ddrysau derw, enfawr y lle. 'Mae hwn yn debycach i uffern,' ychwanegodd yn sbeitlyd.

'Ddim yn westy pum seren, felly?' mentrodd Daf fel jôc fach wan.

'Na,' atebodd y giard. 'Ry'n ni'n browd o'r ffaith fod ein bwyd yn cael ei ystyried fel y gwaethaf yn y wlad. Mae rhai pobl yn dweud bod y peis mae "Cwc" yn eu coginio fel bwyta lledr eich esgidiau, ond dwi ddim yn meddwl eu bod nhw mor flasus â hynny. A pheidiwch â sôn am y cawl. Mae pethau gwael iawn yn mynd i mewn i'r cawl 'na, credwch chi fi. Oes unrhyw un wedi gofyn pam does 'na ddim llygod mawr yn y gegin, er eu bod nhw'n bla ym mhobman arall? Oes wir, mae pethau gwael iawn, iawn yn mynd i mewn i'r cawl.'

Bu'n rhaid i Daf adael ei holl eiddo gyda phorthor y carchar, Mr Grind. Wedyn, roedd yn rhaid iddo gael cawod wrth i Mr Grind arall, sef gefell y porthor, dorri ei wallt, neu'n hytrach eillio ei ben, fel byddai rhywun yn torri'r gwair ar lawnt. Yna roedd yn rhaid i Dafydd wisgo'i siwt carchar, oedd wedi ei gwneud o'r un math o ddefnydd â sach – stwff brown trwchus, garw. Roedd y lle yn drewi ac yn llaith ac roedd calon Daf ar fin torri wrth iddo lusgo'i draed y tu ôl i ddyn oedd yn cario cylch mawr o allweddi ac yn tywys Daf i'w gell ar Bloc C, sef y bloc gwaethaf yn y carchar gwaethaf.

Pennod 8

Os oedd ysbryd a chalon Daf wedi torri ar ôl cyrraedd y carchar, roedden nhw'n ddarnau mân pan welodd e'r gell. Roedd honno'n llai na'r tŷ bach gartref, ac yn cynnwys gwely haearn, bwrdd bach, cadair oedd wedi gweld dyddiau gwell, a'r dyddiau hynny'n ôl yn Oes Napoleon. Ac yn lle tŷ bach iawn, roedd bwced ar y llawr a sinc drewllyd i arllwys cynnwys y bwced. Am stinc!

Ac roedd popeth yn y stafell fach yn ddu. Gwely du. Cadair ddu. Bwrdd du. I ddechrau, roedd Daf yn credu eu bod nhw wedi eu paentio'n ddu, ond wedi cynnau cannwyll ac edrych yn agosach, gwelodd mai brwnt iawn oedden nhw. Roedd nifer o garcharorion wedi naddu eu henwau yn y pren ar y gadair a'r ford. Ac o dan y ford roedd dyddiad creu'r bwrdd, sef 1809. Meddyliodd am yr holl ddynion oedd wedi eistedd yma am ddyddiau, misoedd, blynyddoedd yn aros am y diwrnod pan fydden nhw'n rhydd. Ond roedd gan Daf flynyddoedd tan hynny. Byddai'n ddyn erbyn iddo adael. Roedd yn mynd i dreulio'r hyn oedd yn weddill o'i blentyndod yn y lle du, ofnadwy yma.

'Gwnewch eich hunan yn gyfforddus,' awgrymodd y giard gan estyn hanner cannwyll arall i Daf cyn cau'r drws yn glep.

Daeth swper am saith o'r gloch. Roedd pob carcharor yn gorfod bwyta'i fwyd yn ei gell. Doedd Daf ddim yn medru deall beth oedd y bwyd ar ei blât – rhyw slyj fel uwd, ond bod yr uwd yn llwyd ac yn llawn pethau bach fel cwrens ond eu bod nhw ddim yn felys. Gwaeddodd ar y person oedd wedi gwthio'r hambwrdd o dan y drws i ofyn beth oedd y bwyd yn union, ond ni chlywodd y dyn yr ochr arall i'r drws mawr trwm. Roedd dŵr mewn mẁg a darn o fara a chaws. Doedd dim awydd bwyta ar Daf, felly aeth i orwedd ar y gwely, symud y gannwyll yn agosach a dechrau darllen. Doedd e ddim wedi dewis yn ddoeth. Esboniwyd iddo y gallai ddod ag un llyfr i'r carchar, ac roedd e wedi dewis llyfr gan ei hoff awdur, sef Charles Dickens. Na, doedd e ddim yn ddewis doeth.

Gwyddai Daf fod tad Dickens wedi treulio blynyddoedd ofnadwy yn y Marshalsea, y carchar ofnadwy lle roedd cymaint o bobl dlawd Llundain wedi cael eu carcharu yn y ddeunawfed ganrif. Bryd hynny, roedd hanner y bobl yn y carchar oherwydd eu dyledion, oherwydd nad oedden nhw'n medru talu'r bils na fforddio byw.

Yn y lluniau roedd Daf wedi eu gweld roedd y lle yn edrych fel coleg crand. Yn wir, gallai pobl oedd yn medru talu'r gost am aros yn y carchar fwyta mewn lle bwyta da, yfed mewn bar a hyd yn oed siopa yn y lle. Byddai'r carcharorion hyd yn oed yn cael gadael y lle dros dro.

Ond ... os nad oeddech yn medru talu'r gost am aros yn y carchar, wel, gwae chi! Byddai pawb arall yn y Marshalsea yn byw ar ben ei gilydd, mewn naw ystafell fechan, yn rhannu'r rhain gyda dwsinau o bobl dan amgylchiadau afiach. A gallai person tlawd fod yn y carchar am flynyddoedd, er bod ei ddyled yn fach, oherwydd byddai'r ddyled newydd – y gost o aros yn carchar – yn codi a phentyrru. Gallai rhywun farw o newyn yn y carchar, ac un gaeaf bu farw 300 o garcharorion mewn cyfnod o dri mis. Yn ystod cyfnod o dywydd twym roedd rhwng wyth a deg o garcharorion yn marw bob dydd. Ond byddai rhannu gyda dwsinau o bobl dlawd yn well na bod ar ei ben ei hun, meddyliodd Daf. Roedd bod ar ei ben ei hun yn boenus iawn, iawn, iawn. A gwyddai pe bai'n dechrau siarad â'i hun, byddai pethau'n mynd yn drech nag e ac y byddai'n mynd yn wallgo yn gyflym iawn. Byddai darllen yn help, ond pa werth darllen llyfr am fywyd yn y carchar tra mae rhywun yn y carchar? Ochneidiodd ddwywaith, deirgwaith, cyn penderfynu darllen y llyfr beth bynnag. Roedd unrhyw ffordd o ddianc rhag y gell yn well na dim, ond roedd e hefyd yn ymwybodol taw dim ond canhwylhau ail law roedden nhw'n eu cael yn Dartfield.

Ac wrth i'r gannwyll ddiffodd, dyma Daf yn cael ei hun yn gorwedd yn y tywyllwch. Doedd dim golau yn dod o dan y drws ac felly roedd hi'n ddu fel bola buwch. Hwn oedd y math o dywyllwch sy'n codi ofn, oherwydd bod pob sŵn yn swnio'n uwch nag arfer. Roedd sŵn sgrialu rhyw greadur y tu ôl i'r wal yn uchel ac yn groch, ac ewinedd llygoden fawr yn troi'n grafangau bwystfil yn y dychymyg. Y dychymyg. Hwnna oedd y broblem. Roedd Daf yn dychmygu pethau gwaeth nag yr oedden nhw mewn gwirionedd. Er bod rhai synau yn gwbl real: yr awyr yn symud oherwydd parau o adenydd, a'r rheini'n feddal fel bod 'na sŵn fel sibrwd, neu ddarnau o sidan yn cwympo o'r to. Ac yna byddai pethau mwy caled, fel sŵn ewinedd traed llygoden fawr yn torri drwy'r tywyllwch, gan effeithio ar nerfau Daf, fel tasai rhywun yn canu clychau yn ei ben, neu larwm car yn tanio.

Pennod 9

Yn y bore teimlai Daf yn hanner marw oherwydd diffyg cwsg. Er gwaethaf hynny, edrychodd o gwmpas i weld beth oedd wedi achosi'r sŵn yn y nos. Uwch ei ben hongiai pum ystlum, yn cysgu'n braf, er na allai Daf weld o ble roedd y rhain wedi dod i mewn i'r gell. Hynny yw, nes iddo weld twll bach, bach yng nghornel y gell. Ar y llawr roedd baw'r ystlumod. Gwyddai Daf nad oedd hyn yn rhywbeth iachus iawn, rhannu stafell wely gyda thoiled pum ystlum. Ond wedyn, roedd hi'n braf cael eu cwmni. Eu cwmni! Roedd e'n dechrau mynd yn hurt yn barod. Nes iddo gofio am Heti, a'i gallu rhyfeddol hi i gyfathrebu ag anifeiliaid o bob math. Efallai y gallai hi ei ddysgu fe sut i siarad *bat-talk*. Roedd un peth yn sicr, byddai digonedd o amser ganddo i feistroli'r iaith. Mil wyth gant dau ddeg ac un diwrnod i fynd. Llai, efallai, os byddai'n bihafio.

Yna sylwodd Daf ar rywbeth rhyfedd yng nghornel yr ystafell. I ddechrau, dim ond siâp rhywbeth rhyw liw rhwng gwyn ac arian roedd e'n medru ei weld, ond wrth iddo syllu'n galed a chanolbwyntio, dyma fe'n gweld siâp bachgen bach, yn ei gwrcwd ar y llawr. Ac yna clywodd sŵn llefain a sniffian, ac wrth iddo nesáu at y bachgen gallai weld bod dagrau yn disgyn i'r llawr fel diferion glaw. Ond wrth i Daf estyn ei fraich i'w gosod rownd ysgwydd y bachgen, neidiodd hwnnw ar ei draed fel tasai Daf wedi rhoi ei wallt ar dân.

'Paid â bod ofn,' meddai Daf, a sylweddoli'n syth pa mor hurt oedd dweud hynny wrth fwgan o fachgen.

Trodd y bachgen ei ben i wynebu'r wal, fel tasai troi ei gefn ar Daf yn ei wneud e'n saff. Ond roedd ar Daf angen ei gwmni, ysbryd neu beidio.

'Dafydd yw fy enw i,' meddai Daf, gan geisio gwneud i'w lais swnio mor dyner â phosib. Ni symudodd y bachgen flewyn, ond siglai ei gorff gyda'r ymdrech o geisio peidio â chrio.

Beth oedd oedran y bachgen yma? Saith? Neu oedd e'n ifancach na hynny? Roedd ei gorff yn fach ac yn denau (os gallai rhywun alw siâp lliw arian yn 'gorff').

'Dwi ddim am dy frifo di,' meddai Daf, o weld bod y bachgen yn ymateb i'w lais ac yn dechrau troi ei ben.

Ac yna, y cwestiwn mawr, y cwestiwn wnaeth neidio i ben Daf a gwneud iddo synnu ato'i hun wrth ddweud y geiriau.

'Oeddet ti yn y carchar yma flynyddoedd yn ôl? Ac a wnest ti farw yma?'

Trodd y bachgen tuag ato. Nid llygaid oedd yn ei ben, ond tyllau dyfnion. Ar waelod y tyllau roedd 'na ddelweddau yn fflicran, fel ffilmiau bach. Delweddau o'r bachgen hwn o flaen Daf yn cysgu mewn ystafell heb le i symud, rhywun yn cysgu ar bob modfedd o'r llawr yn ogystal â'r gwelyau haearn oedd yn edrych yn union fel y gwely roedd Daf yn cysgu ynddo.

Yna daeth delweddau eraill yn amlwg yn llygaid y crwt – lluniau o'r carchar yma, y gell yma, fel ffilm fach o atgofion yn tasgu fel gwreichion tân. Ei fam, ie, llun o'i fam yn sefyll uwch ei ben ac yn ceisio bwydo rhywbeth iddo oddi ar lwy, a'i dad yn y cefndir, ei wyneb yn welw ac yn llawn gofid. Yna llaw'r bachgen yn edrych fel llaw sgerbwd, a'i wyneb yn colli cnawd, a llygaid y fam yn ymddangos drachefn, ond y rheini yn llawn ofn y tro hwn wrth sylweddoli bod marwolaeth yn drech na chariad.

Allai Daf ddim tynnu ei lygaid oddi ar y tyllau hyn, y tyllau lle dylai llygaid y bachgen yma fod. Oherwydd ynddyn nhw gallai weld corff y bachgen, sgerbwd ei ddwylo yn dechrau disgleirio, yn trawsnewid nes ei fod yn edrych fel yr oedd yn edrych nawr. Yn edrych ar Dafydd heb edrych. Y llygaid 'na, oedd yn medru dangos y gorffennol fel ffilm, yn edrych ar Daf, heb edrych.

Ac yna digwyddodd rhywbeth annisgwyl. Gwenodd yr ysbryd ar Daf. Ac er bod ei ddannedd yn frown ac erioed wedi gweld brws dannedd, roedd 'na bleser pur yn y wên, fel tase fe wedi bod yn aros am gyfeillgarwch bachgen arall, bachgen fel Daf, am amser hir iawn, iawn. Dau gan mlynedd, efallai. Efallai mwy.

Pennod 10

Ni wyddai Daf fod ei rieni ar y teledu y diwrnod hwnnw yn dadlau'n gryf na ddylai bachgen yn ei arddegau fod mewn carchar i oedolion. Bu'r ddau ar nifer o raglenni'r noson honno a'r diwrnod canlynol, ond nid oedd Daf yn gwybod dim am hyn oherwydd nad oedd ganddo deledu yn ei gell. Dim ond gwely haearn, bwrdd, cadair a bwced slops oedd yno.

Doedd Daf ddim yn gwybod beth oedd ystyr 'slops' na 'slopio' tan y bore, pan fu'n rhaid iddo arllwys cynnwys y bwced ddefnyddiodd e fel toiled y noson cynt. Roedd pob carcharor yn gorfod cario'i fwced i lawr i waelod y coridor ac yna arllwys ei gynnwys i'r sinc, heb slopio gormod.

Hwn oedd ei ymarfer corff am y diwrnod a byddai'n rhaid i Daf aros tan ddiwedd y prynhawn i gael hanner awr o gerdded o gwmpas yr iard. Ond roedd yr iard yn lle peryglus. Byddai pobl yn ymladd yno yn aml iawn, a byddai'r giards yn gyndyn o ddod rhwng dau ddyn oedd yn ymladd yn ffyrnig, ac yn dewis aros nes bod un o'r ddau wedi rhoi'r gorau i'r ymladd, neu wedi cael ei niweidio.

Mewn ffilm welodd Daf unwaith, roedd carcharor

yn cerfio marc bach ar y wal i gynrychioli pob diwrnod roedd e wedi'i dreulio yn y carchar. Cofiodd am hyn ac edrychodd o gwmpas ei gell am rywbeth i'w ddefnyddio i wneud y marc cyntaf. Roedd darn bach bach o fetel ar y llawr a defnyddiodd hwn i ddynodi ei ddiwrnod olaf. Roedd arno ofn gwneud y syms i weld sawl diwrnod oedd yn weddill.

Fore drannoeth, yn ystod 'slopio mas' – fel maen nhw'n galw'r busnes o, wel, slopio mas – roedd un hen lag, sef yr enw mae pobl yn ei ddefnyddio i ddisgrifio carcharorion sydd wedi bod yn y carchar am amser hir, neu wedi bod mewn carchar fwy nag unwaith, wedi sibrwd yng nghlust Daf ei fod e wedi gweld rheini Daf ar y teledu y noson cynt. Roedd hyn yn dipyn o sioc i Daf, nid yn unig oherwydd bod y dyn wedi llwyddo i'w adnabod, ond hefyd oherwydd bod y boi wedi bod yn gwylio'r teledu – roedd Daf yn meddwl nad oedd teledu ar gyfyl y lle.

'Oes ganddoch chi deledu, syr?' gofynnodd Daf. 'Do'n i ddim yn meddwl eich bod chi'n cael gwylio'r teledu mewn fan hyn …'

'Gewch chi neud beth bynnag ry'ch chi eisiau, a chael gafael ar unrhyw beth mewn fan hyn. Dim ond i chi 'nabod y bobl iawn.'

'A phwy yw'r bobl iawn, syr?' gofynnodd Daf a'i lais yn crynu.

'Fi,' atebodd y dyn yn swta. 'Ond paid â gwastraffu

fy amser yn gofyn am ddim byd oni bai fod gen ti rywbeth i'w gynnig yn ei le.'

'Reit, syr, wna i feddwl am hynny.'

'Beth yw dy enw di, corrach?'

'Daf... ym ... Dafydd, syr.'

'Rat yw'r enw.'

Estynnodd Rat ei ddwrn i roi 'pawen lawen' iddo. Rhyfeddodd Daf at faint ei ddyrnau, oedd bron mor fawr â phen Daf. Roedd hwn yn ddyn pwerus, heb os. Ac roedd Daf yn ei adnabod.

Byddai Daf wedi teimlo mymryn yn well ar ôl siarad â Rat oni bai am y ffaith fod Smegs y giard wedi sleifio ato ar yr iard a dweud,

'Oes rhywun wedi dweud wrthot ti am yr ysbrydion ar y *wing*? Paid â phoeni, wnawn nhw ddim niwed i ti. Ddim yn gorfforol, ta beth.'

A dweud y gwir, roedd Daf wedi clywed sibrydion am y peth, yn llythrennol. Byddai pobl yn dweud 'Watch out for the ghosts' a 'Hope the bogeys don't get you, shrimp' pan fyddai e'n cerdded i lawr y coridor gyda'i fwced. Hwn oedd y peth agosaf at sgwrs fyddai Daf yn ei gael yn ystod y dydd.

Yn ei gell llenwai calon Daf ag ofn ac unigrwydd, ac ofn unigrwydd. Hiraethai am ei fam a'i dad, ac roedd e'n edrych ymlaen at eu gweld am awr ddiwedd yr wythnos. Er, roedd e'n gwybod hefyd y byddai ffarwelio â nhw ar ddiwedd yr ymweliad yn brofiad poenus.

Anodd oedd syllu ar ei fam a'i dad y tu ôl i'r gwydr, ac roedd hi'n anodd ateb eu cwestiynau am ei fywyd yn y lle. Gwyddai ei bod yn bwysig bod yn gadarnhaol, er mwyn ei fam, ond nid oedd hyn yn hawdd. Wedi'r cwbl, roedd e'n treulio 23 awr y dydd mewn cell heb drydan, yn rhannu'r lle gyda llygod ac ystlumod, yn bwyta bwyd oedd prin yn edrych nac yn blasu fel bwyd, a hanner cannwyll oedd ganddo i bara'r penwythnos.

'Grêt, Mam. Mae popeth yn grêt. Dwi wedi gwneud ffrind newydd ...'

'O, beth yw ei enw fe, blodyn?'

Doedd 'Rat' ddim yn enw i godi calon ei fam, felly penderfynodd Daf fedyddio'r lleidr yn 'Hopkins'.

''Na neis.'

'Beth mae e'n neud, blodyn?'

Teimlai Daf fod y cwestiwn braidd yn dwp, o ystyried bod pawb oedd y tu ôl i'r gwydr yn garcharorion, ond ceisiodd Daf ateb yn bositif drwy ddweud,

'Mae e'n cynllunio beth mae e'n mynd i'w wneud pan ddaw e mas o 'ma.'

Aeth ei fam yn dawel, ac yn welw iawn.

'Ti'n iawn, Mam?' holodd Daf, wedi dychryn.

'Mae'n anodd dy weld di mewn lle fel hyn, ond fyddi di ddim yma'n hir, pwt.'

Ond gwyddai'r ddau eu bod nhw'n twyllo'i gilydd ac yn twyllo'u hunain. Roedd mam Daf yn casáu'r lle cymaint â Daf, ac roedd gweld ei hunig fab mewn lle mor greulon yn ei hypsetio'n arw. Roedd y drysau trwchus, gwichlyd yn greulon. Roedd y wardeniaid â'u hetiau a'u siacedi duon yn greulon. Roedd e'n lle creulon i roi plentyn, ond doedd dim arwydd pendant fod ei hymgyrch i symud Daf i rywle mwy priodol ar gyfer rhywun mor ifanc yn llwyddo.

Yna, drwy'r drws, daeth ei achubiaeth. Yn cyd-gerdded â'r ddau warden roedd Heti. Roedd hi'n ffwdan i gyd, gan mai dim ond deng munud o amser ymweld oedd ar ôl, ac roedd hi am gael ychydig o'r amser hwnnw ar ei phen ei hun gyda Daf. Yn ffodus, penderfynodd mam a thad Daf adael er mwyn rhoi amser iddi hi siarad â'i ffrind, ac oherwydd bod mam Daf erbyn hyn yn teimlo'n wirioneddol sâl.

Chwythodd Daf gusan drwy'r gwydr a llwyddodd ei fam i'w dal yng nghledr ei llaw. Sychodd Daf ddeigryn mawr o'i lygad dde cyn edrych ar Heti.

'Mae gen i gynllun, Daf. Dwi am dy gael di mas o 'ma.'

'Ond byddan nhw yn fy nal i, ac yn fy llusgo i'n ôl 'ma. Mae'n rhaid i mi aros yma.'

'Dim os gwnawn ni brofi dy fod ti'n ddieuog.'

'Sut allwn ni neud hynny?'

'Mae un o'r disgyblion wnaeth roi'r holl bethau 'na

yn dy ystafell yn teimlo'n wael iawn, iawn am yr hyn sydd wedi digwydd i ti, ac mae'n fodlon esbonio'n union beth ddigwyddodd.'

'Ond bydd e mewn peryg wedyn ...'

'Ry'n ni wedi meddwl am hynny. Trwy lwc, mae ei dad e newydd gael swydd ac maen nhw'n symud i ffwrdd i fyw. I Ffrainc. Dylai hynna fod yn ddigon pell o'r disgyblion gwaethaf yn y byd.'

'Felly does dim rhaid i fi dorri'n rhydd? Alla i aros yma nes bod y boi 'ma'n cyffesu?'

'Dyw e ddim yn fodlon gwneud hynny oni bai dy fod ti wrth ei ymyl.'

'Ond mae e'n gwybod fy mod i yn y carchar ...'

'Paid â phoeni, Daf. Mae'r teigr wedi cytuno i'n helpu ni. A'r ystlumod yn dy stafell ...'

'Sut oeddet ti'n gwybod am y rheini?'

'Ges i air gydag un ohonyn nhw ar y ffordd i mewn. Roedd e'n hedfan i lawr y dreif. Anifail bach clyfar. Mae'n gwybod am ryw dwnnel cudd.'

'A sut ydw i'n mynd i gyrraedd y twnnel cudd 'ma, a finne wedi cael fy nghloi mewn cell bob awr o'r dydd?'

'O, mae hynny'n hawdd. Mae gen i forgrug ar y cês.'

'Morgrug?' meddai Daf.

'Wela i di nos yfory,' meddai Heti, gan anwybyddu cwestiwn Daf. 'Ganol nos. Bydd y teigr yma erbyn hynny.'

'Mae'r teigr yn dod yma?'

'Ody, siŵr. Fe awgrymodd y cynllwyn.'

Canodd y gloch i ddangos bod amser ymweld wedi dod i ben. Roedd pen Daf yn troi. Teigr? Ystlum? Y bachgen oedd yn mynd i Ffrainc! Morgrug! A phopeth yn digwydd mewn ychydig dros bedair awr ar hugain! Ni lwyddodd Daf i gysgu winc y noson honno. Yn y bore, gwnaeth ei orau glas i osgoi edrych fel tase fe wedi cynhyrfu.

Doedd Heti ddim wedi mynd yn bell iawn o'r carchar, oherwydd roedd ei ffrind newydd, teigr y prifathro, wedi dod gyda hi mor bell â'r goedwig gerllaw. Hawdd oedd rhyddhau'r anifail cyhyrog, cryf. Aeth Heti i'r ysgol am ddeg o'r gloch y nos, gan wybod nad oedd unrhyw larwm ar y safle, dim ond arwyddion ym mhobman yn rhybuddio bod teigr yn crwydro'n rhydd ar y safle. Ar yr arwyddion roedd lluniau trawiadol iawn o ben y teigr, ei lygaid mawr melyn yn pefrio. Aeth Heti i mewn drwy ddrws y neuadd a gwelodd y teigr yn ymlwybro'n hamddenol tuag ati ar hyd y llawr pren, heb wneud smic o sŵn.

'Haia,' cyfarchodd Heti y teigr. 'Hyfryd dy weld di eto. Rwyt ti'n edrych yn dda. Fel brenin y jyngl, os ca i ddweud. Nid y llew sy'n rheoli, mae hynny'n glir o weld dy gryfder anhygoel.'

Synnodd yr anifail o glywed y person bach 'ma'n siarad Iaith Teigr yn hollol rugl, a hynny heb acen ryfedd hyd yn oed. Roedd e'n hoffi cael ei seboni. Brenin y jyngl? Roedd e'n hoff iawn o'r teitl hwnnw.

'Helô, berson bach,' atebodd y teigr.

'Mae gen i'r rhain i ti.' Agorodd Heti becyn sylweddol o Abba's Own Swedish Meat Balls a gosododd dri ohonyn nhw ar gledr ei llaw. Saethodd tafod pinc trwchus allan a'u sgubo i fyny fel brwsh. Llyfodd y teigr ei weflau mewn boddhad. Wrth iddo wneud hynny, sgleiniodd ei ddannedd, a oedd yn edrych i Heti mor fawr ag ysgithrau eliffant. Yn ôl asesiad Heti, roedd un o'i ddannedd yn fwy na hyd ei braich hi, ond fe estynnodd hi am ragor o'r peli cig a gobeithio'r gorau. Cyn hir roedd cynnwys y pecyn wedi diflannu i lawr llwnc y teigr, ond yn ffodus, roedd gan Heti dri phecyn arall yn y bag ar ei chefn. Dangosodd Heti un o'r rhain i'r teigr, a dilynodd hwnnw mor ufudd â phwdl drwy ddrws y neuadd.

Roedd gan Heti ddeg tun o fwyd cath yn ei bag ac agorodd bob un o'r rhain a'u harllwys i mewn i bowlen blastig. Llarpiodd y teigr y rhain mewn un llwnc mawr gan edrych yn llwglyd eto yn syth ar ôl i'r bwyd ddiflannu.

Wrth gerdded gyda'r teigr i gyfeiriad y carchar, defnyddiodd Heti'r teclyn bach i ddechrau sgwrs â dwy gleren oedd yn eistedd ar ddeilen gerllaw. Gofynnodd iddyn nhw a oedd modd iddyn nhw hedfan i mewn i'r carchar i weld ble yn union yr oedd cell Daf. Gofynnodd iddyn nhw hefyd ddechrau sgwrs ag unrhyw bryfed oedd yn byw yn y carchar, er mwyn cael eu help i gael Daf allan o'r lle.

Gwelodd Heti ddwy gleren yn cael brecwast awyr agored ar ddarn bach o ych-a-fi drewllyd.

'Esgusodwch fi,' meddai Heti gan wneud rhyw sŵn suo fel y bydd cleren sydd wedi ei dal y tu ôl i wydr yn ei wneud. 'A fyddai gan y ddwy ohonoch chi, glêr bonheddig, amser i'm helpu? Mae fy ffrind yn y carchar – mae e'n hollol ddieuog – ac mae angen help arna i i'w gael e allan. Heno. Dim amser i'w golli. Allwch chi, plis?'

Roedd y clêr yn bâr digon lletchwith, felly roedden nhw am wybod sut roedd pryfed bach yn mynd i lwyddo i helpu carcharor i ddianc.

'Pwrpas carchar yw cadw pobl i mewn,' meddai un ohonyn nhw'n wybodus. Meddai'r llall, 'Ac mae waliau mawr trwchus a goleuadau llachar ym mhobman. Odych chi'n gall?'

Ateb Heti oedd bod creaduriaid bychain yn medru bod yn bwerus iawn os oedd digon ohonyn nhw'n gweithio gyda'i gilydd. Edrychodd y ddwy gleren ar ei gilydd, gan deimlo eu bod nhw wedi tyfu modfedd neu ddwy o wybod bod ganddyn nhw bŵer – pŵer y miloedd ar filoedd o bryfed oedd yn byw ym mhob milltir sgwâr o'r byd. Hedfanodd y ddwy i ffwrdd heb oedi i gyfeiriad y carchar.

Pennod 11

Yn ei gell roedd Daf yn ceisio lladd amser, er bod hynny bron yn amhosibl yn y tywyllwch. Doedd dim sôn am y bachgen bach ac roedd Daf yn poeni amdano. Er, roedd e'n rhyw amau na allai bachgen o oes Victoria, oedd wedi marw'n barod, farw eto. Ond doedd Daf ddim yn gwbl siŵr o hynny chwaith. Doedd dim llawlyfr yn llawn rheolau am y byd arall yn bodoli, hyd y gwyddai. Pan oedd Daf wrthi'n pendroni fel hyn, clywodd sŵn traed yn llusgo ac yna lais y bachgen bach yn llenwi'r ystafell.

'Noel.'

'Sorri, beth?' gofynnodd Daf, wedi cael sioc o glywed y llais yn torri drwy'r tawelwch a'r tywyllwch.

'Dyna fy enw i. Noel. A ti yw Dafydd?'

'Sut oeddet ti'n gwybod hynny?'

Ond cyn ateb achosodd y bachgen bach fwy o benbleth i Daf.

'Rwyt ti'n mynd i adael y carchar. Heddiw. Plis dos â fi gyda ti. Plis, plis, plis. Dw i eisiau byw yn y golau.'

Roedd y bachgen hwn yn fwy nag ysbryd. Roedd e'n broffwyd hefyd, meddyliodd Daf.

'Iawn. Dim problem.' Erbyn hyn roedd Daf wedi

dod i delerau â'r ffaith ei fod yn siarad ag ysbryd. Doedd rhesymeg ddim yn rhan o'i fywyd bellach.

Aeth y ddau ohonyn nhw'n dawel, yn ddigon tawel i glywed sŵn clêr yn nyddu drwy'r awyr y tu allan i'r drws. Aeth yr ystlumod yn wyllt oherwydd presenoldeb y pryfed a phenderfynu hedfan drwy'r twll arferol i weld a allen nhw fynd y ffordd hir o gwmpas y carchar i ddal y pryfed i swper.

Ond roedd Heti yn cadw golwg erbyn hyn, ar ôl clywed gan un o'r clêr yn union ble roedd cell Daf. Roedd hi'n awyddus iawn i weld a fyddai ystlum yn dod allan drwy'r twll, oherwydd os oedd digon o le i ystlum i ddod allan, yna roedd digon o le i dylluan fach, fach fynd i mewn.

Tylluan?

Yn naturiol ddigon, roedd gan Heti dylluan ar ei hysgwydd, ac allwedd ar gortyn o amgylch ei gwddf. Gan fod clêr yn bryfed sensitif a gofalus – er yn fochaidd iawn hefyd – roedden nhw wedi mesur twll y clo yn ofalus. Roedd un wedi camu i mewn i dwll y clo er mwyn mesur union faint yr allwedd fyddai'n rhaid ei defnyddio, ac roedd Heti wedi dewis yr allwedd gywir o gasgliad ei thad-cu, a oedd, wrth gwrs, yn gasglwr allweddi, a chanddo un drôr yn llawn allweddi carchar, uwchben y drôr yn llawn allweddi llongau tanfor o bob cyfandir.

Roedd popeth yn barod. Roedd hyd yn oed enw ar

gyfer yr hyn oedd yn mynd i ddigwydd – 'Operation Freedom'. Gwell cadw pethau'n syml.

'Bant â thi, dylluan,' meddai Heti wrth yr aderyn bach â'r llygaid lemwn prydferth. Diflannodd ar adenydd sidan, yn sgubo awyr y nos fel tylwythen deg.

Yna, edrychodd Heti ar ei ffrind, y teigr, oedd yn crafu ei ewinedd caled yn erbyn coeden yn y parc. Roedd y marciau'n mynd mor ddwfn nes bygwth dod â'r hen dderwen gyfan i lawr. Yn wir, roedd pob ewin ar ei bawennau'n debycach i gleddyf na dim byd arall. Teimlai Heti y gallai wneud unrhyw beth yn y byd gyda'r anifail pwerus yma wrth ei hochr. Gallai ryddhau Daf o'r carchar. Byddai'r cynllun yn gweithio. Roedd yn rhaid i'r cynllun weithio.

Ddeng munud yn ddiweddarach, daeth y dylluan yn ôl. Dywedodd ei bod wedi mynd â'r allwedd a'i gollwng yn syth i ddwylo Daf. Roedd hefyd wedi trefnu i'r bachgen ddarllen y neges oedd wedi ei sgrifennu â'r math o inc sy'n weladwy yn y nos – 'Mewn deg munud, agora'r drws'.

Yn y cyfamser, roedd Heti a'r teigr wedi cyrraedd mynedfa'r twnnel cudd. Prin fod digon o le i'r anifail pwerus symud drwyddo, ac arweiniodd Heti'r ffordd nes cyrraedd cegin y carchar. Ar ôl symud ffenest isel fetel, cerddodd Heti a'r teigr i mewn. Wyth munud. Dilynodd y ddau gyfarwyddiadau'r clêr, oedd wedi llwyddo i agor cyfres o ddrysau'n arwain at y rhan o'r carchar lle roedd Daf yn byw. A nawr roedd mwy o glêr, heidiau ohonyn nhw, fel sy'n digwydd yn aml. Mae clêr yn hynod gymdeithasol ac yn hoffi cwmni ei gilydd, ac yn cadw stŵr wrth chwilio am fwyd ych-a-fi. Naw munud a deg eiliad …

Teimlai Heti'r tensiwn yn sychu ei cheg wrth i'r teigr gerdded yn hyderus ar hyd un o'r coridorau. Roedd un o'r giards wedi gweld yr anifail. Gwaeddodd nerth ei ysgyfaint, cyn taro botwm y prif larwm, oedd yn gwneud sŵn uchel iawn, a fflachiodd goleuadau cochion ym mhobman. Dyma oedd y signal i Daf agor y drws. Clywodd leisiau'r giards yn gweiddi'r gair 'Teigr' nerth eu pennau, ac am eiliad roedd Daf wedi drysu. Ai teigr Mr Dŵm oedd hwn, yn prowlan yn rhywle yn y carchar? Ond doedd dim amser i bendroni. Dyma'i gyfle.

Clywodd lais Heti'n galw arno, a rhyfeddai ei gweld hi yno. Roedd hi'n pwyntio tuag at y gegin. Rhedodd nerth ei draed, gan wybod rywsut fod ysbryd y bachgen bach yn rhedeg gam neu ddau y tu ôl iddo.

Erbyn hyn roedd y clêr yn gwmwl du, yn ymgasglu o gwmpas y camerâu diogelwch, gan ddallu'r system. Ac yn y brif swyddfa, roedd negeseuon fod rhyw neidr wenwynig yr olwg yn rhydd, ac ystlumod yn chwyrlïo o gwmpas yn ceisio dal y pryfed. Roedd yn ddigon i ddrysu rhywun yn llwyr.

Oedodd rheolwr y carchar cyn ffonio'r heddlu, er ei fod yn gwybod bod angen help arno gyda'r fath sefyllfa wallgo. Ond wyddai e ddim sut y gallai sôn am y teigr a disgwyl iddyn nhw gymryd y peth o ddifri.

Tra oedd y rheolwr yn oedi, roedd Daf ar ei ffordd i lawr y twnnel. Roedd y teigr, ar y llaw arall, wedi penderfynu gadael drwy ddrws y ffrynt – a phwy yn ei iawn bwyll oedd yn mynd i stopio teigr cyhyrog, â dannedd fel cleddyfau, rhag dewis pa ddrws bynnag a fynnai?

Gallai Daf weld golau ym mhen draw'r twnnel, a lliw cot Heti'n mynd yn fwy ac yn fwy coch wrth nesáu at y golau. Ar ôl deg llath arall, fe gyrhaeddon nhw ben draw'r twnnel. Roedden nhw'n rhydd! Bron na allai Daf anadlu oherwydd y rhyddhad, yr awyr iach, yr heulwen, y coed – y popeth da dan haul a oedd ar gael i rywun oedd ddim yn byw mewn cell mewn carchar, am ddim rheswm.

Cafodd fraw o weld y teigr yn camu tuag ato, ond dywedodd Heti fod popeth yn iawn a bod yr anifail yn ffrind mynwesol iddi. Doedd Daf ddim yn deall hynny, ond esboniodd Heti mai ystyr hynny oedd eu bod nhw'n ffrindiau agos iawn, iawn, iawn.

Ac yna clywodd sŵn byddarol, wrth i foto-beic pwerus Kawasaki 1200 ruo i fyny'r llwybr tuag atynt, a dyn bach tenau ar ei gefn. Stopiodd y beic a thynnodd y gyrrwr ei helmed, a gwelodd Daf nad dyn oedd yno, ond menyw. Hen fenyw – ei fam-gu.

'Rwy wastad wedi bod eisiau mynd ar gefn bwystfil fel hwn. Pan wedodd Heti wrtha i dy fod yn mynd i ddianc o'r carchar, roedd e'n gyfle rhy dda …'

'Ble gest ti'r beic, Mam-gu?' gofynnodd Daf.

'Sdim eisiau becso am hynny nawr. Neidia ar y cefn. Brysia, cyn i'r drudwy gyrraedd …'

'Drudwy?'

Prin fod y gair wedi gadael ei enau pan welodd haid enfawr o adar yn troi a throelli yn yr awyr, pob un yn gwybod ei le, ac yn aros yn agos at saith aderyn arall.

'Pam?' gofynnodd Daf. Ond daeth yr ateb yr un mor sydyn ag y cyrhaeddodd y drudwy. Roedd sŵn injan arall i'w glywed dros sŵn y Kawasaki. Hofrennydd yr heddlu! Allan yn chwilio amdanyn nhw! Ac wrth i Heti siarad drwy'r chwiban, cododd y drudwy i'r awyr – hanner can mil a mwy ohonyn nhw'n hedfan yn syth am yr hofrennydd.

'Heti, rwyt ti'n rhyfeddod. A diolch.'

Tra oedd yr adar yn troi a throelli yn yr awyr fry uwchben, camodd Daf ar gefn y beic.

Edrychodd Daf yn ôl ar y carchar dieflig am eiliad, ac yno roedd y bachgen bach, yn ei gwrcwd, yn pigo blodyn bach glas. Cododd y peth mwyaf prydferth iddo'i weld erioed i'w ffroenau i fwynhau'r persawr, a dechreuodd lefain. Yna, gwelodd Daf ar gefn y Kawasaki, a rhyfeddu at y peiriant anhygoel. Chwifiodd y bachgen ei law denau, esgyrnog, gan yngan y gair syml 'Diolch'. Diolch i Daf, roedd yn cael blasu rhyddid am y tro cyntaf yn ei fywyd. Roedd wedi cael ei eni y tu ôl i'r waliau gorthrymus a doedd ganddo ddim syniad am y byd tu fas. Ond nawr, roedd ganddo flodyn bach yn ei law ac roedd yr awyr yn arogli o ryddid. Byddai Daf wedi bod wrth ei fodd yn cael rhannu'r byd mawr crwn a'i ryfeddodau gyda'i ffrind o'r oes o'r blaen, ond roedd ei fam-gu yn refio'r injan. Rhaid oedd ei heglu hi. Nawr!

Roedd mam-gu Daf wedi bod yn brysur. Roedd wedi treulio pob nos am wythnos yn eistedd yn yr ystafell ffrynt yn gwisgo gogls, a menig mawr lledr ar ei dwylo bach, yn edrych ar fideos ar YouTube â theitlau fel 'How to Ride Like a Crazy Biker' a 'Life in the Fast Lane'. Roedd ambell un yn addo y gallai fynd mor gyflym â chant a hanner milltir yr awr, ac roedd Mam-gu wrth ei bodd â hynny. Dychmygai ei hun yn gyrru ar draws anialwch, yn Arisona efallai, y tywod yn codi'n gwmwl y tu ôl iddi, a'r awel gynnes yn chwythu drwy ei gwallt gwyn, hir, fel petai'r haul a'r gwynt wedi dod at ei gilydd i greu peiriant sychu gwallt.

Ond roedd bod ar gefn y beic gyda'i hŵyr bach y tu ôl iddi yn codi ofn ar yr hen fenyw. Roedd y beic am fynd un ffordd, a hithau'n gwneud ei gorau glas i fynd y ffordd arall, heb sôn am seirens yr heddlu oedd i'w clywed yn y pellter, yn dod yn agosach o hyd. Doedd ganddi ddim helmed i'w rhoi i'r crwt, felly roedd ei gŵr wedi cymryd hen sosban a thorri dau dwll ar gyfer y llygaid, a rhoi darn o ledr i gadw'r peth yn ei le. Petaech chi wedi gweld hen fenyw ar gefn bwystfil o foto-beic, yn rhoi lifft i fachgen â sosban ar ei ben, mae'n siŵr mai dyna'r olygfa fwyaf gwallgo i chi ei gweld yn eich byw. Ond wedyn, byddai'n rhaid i chi newid eich meddwl wrth weld teigr mawr ffyrnig yn dod ar eu holau, yn carlamu fel y gwynt, a phwysau'r ferch fach ar ei gefn yn ei gwneud yn anodd iddo ddal lan. Merch fach! Ar ei gefn? Pwy allai ... o, wrth gwrs, Heti!

Gwaeddodd Heti ar Mam-gu, i'w hatgoffa i fynd tuag at yr hen stad ddiwydiannol ar bwys yr afon. Roedd hi'n gwybod bod Mam-gu wedi mynd braidd yn anghofus, heb sôn am y ffaith ei bod hi'n mynd ar ras i lawr yr hewl, ac injan y moto-beic yn rhuo fel llew. Ond roedd Mam-gu yn cofio, a throdd 90 gradd i mewn heibio i'r hen gatiau. Diffoddodd yr injan ac aros i weld a fyddai'r heddlu'n sylwi arnyn nhw. A diolch byth, aeth dau, tri, pedwar car heibio heb droi. Ddeng munud yn ddiweddarach, cyrhaeddodd Heti, a'r teigr druan yn glafoerio ar ôl rhedeg mor gyflym gyda merch fach ar ei gefn. Teigr oedd e – anifail mawreddog, peryglus, pwerus – nid ceffyl. Ond dyna ni, roedd ganddo reswm i fod yn ddiolchgar i Heti am ei ryddid, a hefyd am yr anturiaethau oedd yn digwydd bron bob awr yn ei chwmni.

'Wel,' meddai Mam-gu, 'dw i heb gael cymaint o hwyl ers i'r gŵr fynd â fi i'r ffair yn Coney Beach 'nôl yn y saithdegau. Losgon ni nhw i ffwrdd – y cops – dw i'n meddwl.'

Fel arfer, byddai Daf wedi cywiro iaith slac ei fam-gu, oherwydd roedd e am wneud Cymraeg lefel A a thu hwnt. Roedd yn bwriadu mynd i'r coleg, a chwarae rygbi a phêl-droed dros Gymru, heb sôn am ennill cystadleuaeth pencampwr gwyddbwyll y byd a dyfeisio ffordd o gael gwared ar yr holl blastig oedd yn tagu'r moroedd mawr, cyn agor siop debyg i Games Workshop, ond ar raddfa dipyn mwy. Ond wnaeth e ddim ei chywiro y tro yma. Roedd Mam-gu ar ben ei digon, yn brysur yn pigo clêr a gweddillion pryfed eraill o flaen ei helmed.

'Doedd dim siawns 'da nhw o ddal lan gyda ni. Mae'r Kawasaki 1200 yn mynd fel cath i gythraul, whare teg.'

Wedi cyrraedd traffordd yr M4, penderfynodd Mam-gu weld pa mor gyflym y gallai'r beic fynd. Roedd y cloc o'i blaen yn dweud y gallai fynd mor gyflym â 125 milltir yr awr – 100 milltir yr awr yn gynt na'r tro hwnnw y cafodd hi gyfle i yrru tractor Wncwl Huw mor gyflym ag y gallai ar fferm Brynbanadl pan oedd hi'n naw mlwydd oed. Sef wyth deg naw o flynyddoedd yn ôl. Doedd hi ddim wedi gwneud llawer o ddim byd anturus ers hynny, ond heddiw, wel, heddiw roedd hi am newid pethau. Roedd y nodwydd ar y cloc yn dechrau symud yn gynt ac yn gynt wrth i'w bysedd bach fel esgyrn ffowlyn droi sbardun y beic. Gallai deimlo Daf yn gafael yn dynnach ac yn dynnach.

Yn yr awyr, fry uwchben, cylchai hofrennydd yr heddlu, yn chwilio'n ddyfal am y moto-beic. Yna, wedi gweld y beic, dyma gysylltu â'r pencadlys. Doedd Cymraeg y capten ddim yn dda iawn, a hwythau'n wasanaeth dwyieithog erbyn hyn. Byddai'n defnyddio'r gair 'iawn' drwy'r amser i roi amser iddo feddwl am y gair Cymraeg cywir, ond roedd hynny'n anodd weithiau, ac yntau'n hedfan yr hofrennydd cyflym. 'Chopper one to HQ. Hofrennydd i HQ. We have a visual. Old lady on motorbike with one passenger heading north on Manor Way. Mam-gu ... moto-beic ... boi ar y bac ... mynd yn gyflym iawn, iawn, iawn. Dod lan i Coryton, turning off at Coryton, mynd i'r M4, oh dear, heading for the M4. Proceed with caution. Byddwch yn ofalus iawn, iawn, iawn.'

Yn eu cilfach arbennig ar y draffordd, roedd y ddau blisman yn synnu wrth glywed y newyddion yn dod dros y radio. Hen fenyw a bachgen ar gefn Kawasaki, yn mynd i gyfeiriad y gorllewin o gyffordd 32! Edrychodd y ddau ar ei gilydd, a chamu ar gefn eu beics BMW R1200RT, oedd dipyn yn fwy cyflym na beic yr hen fenyw. Roedd y ddau wedi cael hyfforddiant arbennig ar sut i yrru beic yn gyflym, a sut i stopio rhywun arall yn ddiogel hefyd. Gweithio fel tîm – dau blisman yn gweithio fel un – dyna oedd y gyfrinach.

Roedden nhw'n gallu gweld ble roedd y beic oherwydd roedd yr hofrennydd reit uwch ei ben. Roedd y beic wedi cyrraedd cyffiniau Pen-y-bont yn barod. Roedd criw'r hofrennydd a'r plismyn ar feics yn meddwl mai'r peth gorau fyddai cael un beic o flaen yr hen fenyw ac un beic y tu ôl iddi, ac yna arafu'n raddol, oherwydd petai hi'n bwrw'r brêc fyddai dim gobaith iddi. Ond doedden nhw ddim wedi meddwl am yr hyn y byddai merch fach un ar ddeg oed yn ei wneud – o na!

Oherwydd yr holl sŵn, ni allai'r un aderyn na'r un anifail glywed llais Heti wrth iddi weiddi am help – ei llais yn fain ac yn fach ac yn denau oherwydd ei nerfau. Roedd hi'n poeni'n fawr am Daf a'i fam-gu, oherwydd doedd yr hen fenyw ddim yn gallu gweld yn dda iawn. Un tro, roedd wedi llenwi'r tegell â sebon am nad oedd hi'n gallu gweld beth oedd yn y jar wrth y sinc. A nawr roedd yr un hen fenyw'n gyrru Kawasaki i geisio dianc rhag yr heddlu! O diar. O diar, o diar, o diar.

Gallai Heti weld yr hofrennydd yn hofran uwchben y draffordd, ac roedd hynny'n dangos iddi ble roedd Daf a'i fam-gu. Roedden nhw'n ceisio dianc, ond yn methu cael gwared ar yr heddlu yn yr awyr. Ond yna, clywodd gwylan ei chri.

'Helpwch fi, helpwch fi,' gwaeddodd Heti. Hedfanodd yr wylan tuag ati, ei hadenydd yn gwneud siâp bwa wrth iddi grawcian mewn gwylaneg ag ychydig o acen leol:

'Bethchimoyn? Gwylanod hapus helpu pawb yn y trwbl.'

'Mae angen tynnu sylw'r hofrennydd 'na ... gwneud iddo anghofio am yr hyn sy'n digwydd ar y ddaear.'

'Hofrennydd? Pa hofrennydd?'

'Yr aderyn enfawr. Draw fan'na.'

'O hwnna. Yr hurlycopter. Bydd eisiau pob gwylan yn y ddinas i helpu symud fe. Reit 'te. Calling all seagulls, calling all seagulls. Gwylanod, gwylanod, dewch yn llu. Sgwawc, sgwawc!'

Hedfanodd yr wylan mewn cylch mawr, gan alw'n uwch ac yn uwch. Ymhen hanner munud roedd deg ac wedyn dwsin o wylanod yno, yn cylchu yn yr awyr ac yn denu sylw gwylanod eraill. Ymhen munud roedd cant o adar yn gwneud halibalŵ a hanner, a'r sŵn yn ddigon i ddenu mwy a mwy o wylanod nes eu bod yn edrych o bell fel cawod drwchus, neu haen o niwl yn ymledu'n raddol dros y strydoedd a'r siopau. Pan oedd mil a mwy o wylanod wedi casglu at ei gilydd, roedden nhw'n edrych o bell fel ffluwch o eira ar fin setlo dros y tir.

'Iawn 'te,' galwodd Heti. 'Ewch chi, wylanod dewr, i roi llond bol o ofn i gapten yr hofrennydd, ac fe wnaf i geisio gwneud rhywbeth fy hunan i helpu.'

Ar hynny, dyma aderyn mawr gwyn yn glanio wrth ymyl Heti.

'Rhywun eisiau lifft?' gofynnodd yr alarch dof. Roedd wedi gweld y cyffro o'r llyn bach ynghanol y parc ac wedi dod i helpu Heti. Cofiai fel roedd y ferch fach wedi ei helpu unwaith ar ôl iddo gael ei ddal mewn lein bysgota. Bu bron i'r alarch dagu, ond tynnodd Heti e'n rhydd â'i dwylo bach, a llwyddo i dorri'r lein mewn pryd.

'O, am dacsi gwych! Oes gen ti ddigon o nerth yn yr adenydd 'na i godi fy mhwysau i?'

'Nac oes,' atebodd yr alarch, braidd yn swrth, 'ond mae rhai o'r teulu ar y ffordd.' A gyda hynny, dyma alarch mawr gwyn arall, ynghyd â chwe aderyn ifanc, yn hedfan tuag ati mewn siâp V. Roedden nhw'n cario canŵ roedden nhw wedi ei godi oddi ar wyneb y llyn, a dyma nhw'n ei osod yn daclus o flaen Heti. Deallodd Heti ar unwaith – doedd dim angen gofyn ddwywaith iddi. Camodd i mewn i'r canŵ ac eistedd. Yna, heb oedi dim, dyma'r fintai o adar yn codi'r cwch bach tenau a'r ferch fach i'r awyr. Am olygfa ryfedd!

'Ble nawr?' gofynnodd yr alarch mwyaf.

'I lawr y draffordd, i'r gorllewin.'

'Ffwrdd â ni,' meddai'r aderyn, gan estyn ei wddf mawr gwyn fel polyn cryf.

Doedd Heti ddim yn gallu credu bod alarch yn gallu hedfan mor gyflym, ond fyddai'r rhan fwyaf o bobl ddim yn credu bod alarch yn gallu siarad, heb sôn am fynd bron mor gyflym â hebog tramor (sy'n hedfan yn gynt na'r un aderyn arall, ac yn gynt na Kawasaki Ninja). Curai adenydd yr adar mawr gwyn yn galed, gan greu rhythm sicr, wrth iddyn nhw ddilyn y beic maint morgrugyn yn y pellter.

'Dyna fe, dyna Daf,' sgrechiodd Heti, fel merch fach allan o'i chof.

Erbyn hyn roedd y gwylanod wedi llwyddo i amgylchynu'r hofrennydd, ac roedden nhw'n dawnsio'n wyllt o'i gwmpas. Trawodd un o'r adar ifanc y llafnau, oedd yn troi mor gyflym fel doedd ganddo ddim siawns o osgoi niwed mawr. Trodd yn ffrwydrad o blu.

'Seagull down,' crawciodd gwylan benddu, oedd newydd gyrraedd ar ei gwyliau o Lerpwl.

'Mewn â ni gwylans!' meddai'r arweinydd, oedd wedi llwyddo i dynnu llwyth o wylanod i hedfan o flaen ffenest yr hofrennydd. Pwy allai hedfan yn well na gwylan ar ei gorau?

Penderfynodd capten yr hofrennydd, Capten James C. Peters, mai digon oedd digon. Doedd dim diben ceisio dilyn beic ar yr hewl pan nad oedd e'n gallu gweld dim byd o'i flaen. Trodd am adref, a'i wynt yn ei ddwrn a'i ben yn ei blu. Siaradodd i mewn i'r radio,

'Chopper 3 i'r pencadlys. Ry'n ni'n dod yn ôl. Diwedd y neges.'

Gwyddai'r Capten druan na fyddai'r un o'i gyd-weithwyr, na'i wraig na'i blant, yn credu'r stori. Gwylanod yn ymosod yn ddirybudd! Cannoedd ohonyn nhw!

Allai'r heddlu ar eu beics ddim credu'r hyn oedd yn hedfan tuag atyn nhw – canŵ, yn cario merch fach, yn cael ei gario yn ei dro gan haid o elyrch. Elyrch mawr gwyn, yn hedfan yn syth tuag atyn nhw, fel petaen nhw'n defnyddio'r canŵ fel arf. Bu'n rhaid iddyn nhw symud o'r ffordd, a hynny wrth gyffordd 33, felly fe adawon nhw'r draffordd.

'Llwyddiant!' gwaeddodd Heti yn ei hiaith alarch orau. Chwarddodd yr adar fel gwyddau gwallgo.

Pan welodd Mam-gu a Daf fod yr heddlu i gyd

wedi diflannu, dyma nhw'n arafu ychydig cyn dod i stop y tu hwnt i'r gyffordd nesaf. Synnodd y ddau o weld canŵ'n glanio a Heti'n camu ohono, yn wên o glust i glust.

'Dyna ni wedi colli'r heddlu,' meddai Heti'n falch iawn. Anwesodd un o'r elyrch ifanc, oedd yn dal i anadlu'n galed wedi hedfan mor gyflym.

'Beth yw hwnna?' gofynnodd Daf.

'Canŵ. Ti'n gwybod … cwch bach i deithio lawr afonydd.'

'Ond …'

'O ie, yr elyrch. Dyma deulu cyfan o elyrch sydd wedi fy helpu i gael gwared ar foto-beicwyr yr heddlu, oedd yn ceisio dal fy ffrind gorau, Daf, a'i fam-gu ffantastig.'

Erbyn hyn roedd yr wyth aderyn yn naddu gwair wrth ymyl y cylchdro. Cododd y tad ei ben a phlygu'i wddf hir yn osgeiddig i gydnabod geiriau Heti o ddiolch.

Tynnodd mam-gu Daf ei helmed, gan roi gwên fawr yn llawn dannedd gosod. Roedd ei helmed yn ddu gyda chlêr marw.

'Paned?' mentrodd Heti.

'Ond bydd yr heddlu'n dal i chwilio amdanom.'

'Dyma'r lle olaf y byddan nhw'n chwilio. Byddan nhw'n disgwyl ein bod ni wedi'i heglu hi'n bell i ffwrdd erbyn nawr. Byddan nhw'n cau hewlydd, ac efallai'n cau'r draffordd filltiroedd maith i ffwrdd. Fyddai neb yn ei iawn bwyll yn aros yn ei unfan a'r heddlu ar eu cynffon.'

Roedd siop goffi gyfleus iawn gerllaw, ac i mewn â nhw. Cododd yr elyrch i'r awyr, troi mewn bwa a honcian ffarwél, eu sŵn yn cario'n glir dros sŵn y traffig yn y cefndir. Wrth iddyn nhw godi'n uwch dyma nhw'n cwrdd â chriw mawr o wylanod, a theithio'n griw cymysg drwy'r awyr, yn hel am adref.

Pennod 12

Yn y caffi, gofynnodd Heti gwestiwn syml ond enfawr – 'Beth nesaf?'

Meddyliodd Daf am rai eiliadau cyn ateb.

'Ry'n ni'n mynd i ddysgu gwers i Mr Dŵm ac i'r bechgyn ofnadwy 'na wnaeth fy hala i i'r carchar. Dw i ddim yn gwybod sut, a dw i'n gwybod dyw dial ddim yn beth da, ond mae beth wnaeth y bechgyn 'na'n anfaddeuol. Mae angen gwneud yn siŵr bod yr ysgol yn dysgu pobl sut i fod yn dda yn hytrach nag yn ddrwg.'

'Ond mae dial yn ddrwg ynddo'i hun ...'

'Mae 'na sawl ffordd o ddial.'

Sipiodd Heti ei smwthi tra oedd y tri'n meddwl am ateb i'r pos. Daeth fel fflach i feddwl Heti.

'Maen nhw'n mynd am drip ysgol ddydd Llun nesaf. Gallwn whare trics di-ri arnyn nhw bryd hynny.'

'Ble maen nhw'n mynd?' gofynnodd Mam-gu, oedd yn glanhau'r clêr oddi ar blastig ei helmed.

'Y sw,' atebodd Heti, gan feddwl am yr holl bosibiliadau. Byddai bod ynghanol yr holl anifeiliaid 'na, a hithau'n medru siarad pob un o'u hieithoedd, yn dipyn o sbri.

'O boi,' meddai Heti. 'O boi, o boi, o boi.'

Teimlai Daf a Heti fel petai amser wedi arafu. Hir yw pob aros, ond o'r diwedd gwawriodd dydd Llun. Roedd Mam-gu wedi trefnu eu bod yn teithio i lawr i'r sw mewn tacsi. Esboniodd fod ei dyddiau o yrru moto-beic yn wyllt wedi hen ddod i ben. Wedi gwneud ychydig o ymchwil, roedden nhw'n gwybod bod y bysiau'n gadael Academi Mr Dŵm am naw.

Am hanner awr wedi wyth ar ei ben, gadawodd y tri yn y tacsi er mwyn bod yn siŵr mai nhw fyddai'n cyrraedd gyntaf. Roedd angen paratoi – siarad â'r anifeiliaid, gwneud ffrindiau â llond Arch Noa ohonyn nhw – rhai bach a mawr, rhai o Gymru, a rhai mwy egsotig.

Lle crand yw'r sw ar un olwg, a'r gerddi'n llawn blodau a choed wedi hen sefydlu. Mae'n llawn anifeiliaid diddorol a sŵn plant yn chwerthin ac yn mwynhau. Ond dyw pob un o'r anifeiliaid ddim yn hapus yno, yn enwedig y rhai sydd wedi eu dal yn y gwyllt a'u cludo yno yng nghrombil awyren a'u gwahanu oddi wrth eu teuluoedd. Roedd Heti'n ceisio osgoi'r lle fel arfer, oherwydd byddai'n clywed gormod o storïau anhapus yno, er ei bod weithiau'n clywed storïau am anifeiliaid prin yn cael eu hachub a'u cadw'n ddiogel yn y sw.

Aeth Heti â Daf a Mam-gu i gwrdd â'r llew. Ef oedd brenin y jyngl, ac roedd yn frenin yma hefyd. Ond, mewn gwirionedd, ei wraig oedd yn teyrnasu, gan ei bod hi'n ddoeth. Enw'r llew oedd Ngalle ac roedd e'n wahanol i lewod eraill oherwydd ei fod yn llysieuwr. Roedd y llewod eraill yn edrych yn rhyfedd arno'n bwyta llysiau a ffrwythau – yn enwedig ei hoff ffrwyth, sef pinafal. Byddai'n hollti'r ffrwyth ag un o'i ewinedd siarp ac yn bwyta'r cnawd meddal, melys â'r un awch ag y byddai llew arall yn llarpio llewpard.

'Howdidwdi?' gofynnodd y llew.

'Dwdi'n dda iawn, diolch. A chithau, brenin y safana a'r jyngl? Sut mae'r deyrnas?'

'O, dw i'n gweld eisiau'r gorwel, a'r stormydd mellt a tharanau fyddai'n rhoi'r coed ar dân. A sebras, dwi'n gweld eisiau sebras …'

'Mae 'na rai yma yn y sw …'

'Ond dy'n ni ddim yn cael eu gweld nhw, rhag ofn i ni neidio dros y ffens a throi'r ymweliad yn amser swper.'

'Ond dy'ch chi ddim …'

'Na, dyw'r brenin ddim yn cyffwrdd â chig, ond mae gweddill y llwyth yn gwneud. Odych chi wedi cwrdd â'r cenawon bach newydd? Dyma nhw yn cerdded yn un rhes. Ga i gyflwyno Heti? Heti, dyma Temba, Llew, Pwtyn, Samson a Mwnci.'

'Mwnci?'

'Oherwydd mae'n fwy o fwnci na llew, yn dringo i bobman, ac yn llawn direidi, fel tsimpansî hanner call a dwl.'

'Lyfli i gwrdd â chi.'

'Miaw,' meddai Temba, mewn llais cath fawr, mor ddwfn â ffynnon.

'Oes 'na reswm pam eich bod chi'n wahanol i bob llew arall yn Affrica?'

'Mae pob math o anifeiliaid yn esblygu, yn newid yn ôl yr amgylchiadau, dros amser. Efallai taw fi yw'r cyntaf i newid y math o fwyd dw i'n ei fwyta, ond nid fi fydd yr olaf. Nawr 'te, oes 'na rywbeth arall alla i neud i'ch helpu chi, oherwydd mae fy nyled i'n fawr i chi?'

Ddwy flynedd yn ôl, roedd Heti wedi dod draw i'r sw i gysuro'r llew pan oedd mewn hwyliau drwg ac yn isel iawn ei ysbryd. Digwyddai hyn i anifeiliaid y sw o bryd i'w gilydd. Roedd y llew'n hiraethu am weld digonedd o dir gwyllt o'i gwmpas yn hytrach na chwt concrit a phwll dŵr oedd yn llawn dŵr wedi twymo yn yr haul. Ar ôl gwrando ar ei gŵynion, aeth Heti at y cipar i awgrymu y byddai'n syniad da rhoi dŵr glân yn y pwll ac yna ychwanegu iâ. Pan ddechreuodd y cipar gwyno y byddai hynny'n lot o waith, perswadiodd Heti bioden i ddisgyn i lawr o'i changen, glanio ar ei ben a phigo'i glust yn galed.

'Nawr 'te, Mr Cipar. Ydych chi'n mynd i edrych ar

ôl y llewod a'r holl anifeiliaid eraill yn well, neu ydych chi am i bob un ohonyn nhw fod ar eich ôl?'

Oedodd y cipar cyn ateb, a dywedodd Heti wrth y bioden am bigo'i glust unwaith eto. Gallai'r cipar weld bod y ferch fach yma'n rhyw fath o Ddoctor Dolittle, sef rhywun oedd yn medru siarad ag anifeiliaid. Cytunodd i wneud popeth roedd Heti'n ei awgrymu, ac aeth i archebu bloc mawr deg tunnell o iâ. Cyrhaeddodd yr iâ y prynhawn hwnnw, er mawr lawenydd nid yn unig i'r llewod, ond hefyd i'r pengwiniaid. Aeth y pengwiniaid yn wyllt wrth nofio mewn dŵr mor oer a glanio ar y talpau iâ, fel tasen nhw'n ôl yn yr Antarctig. Roedd eirth y Gogledd ar ben eu digon hefyd, yn llyfu'r iâ fel hufen iâ ac yn rhwbio'u cefnau yn erbyn y blociau mawr o rew. Roedd gweld yr anifeiliaid ar ben eu digon yn ddigon i sicrhau y byddai'r sw'n archebu mwy o iâ bob wythnos ar ddiwedd y gwanwyn a hefyd yn ystod yr haf, pan fyddai pethau'n poethi yng nghytiau'r anifeiliaid. Doedd dim rhyfedd bod y llew mor ddiolchgar i Heti. Yn ddiolchgar iawn, iawn, iawn.

Gofynnodd Heti i Daf beth oedd e eisiau i'r llew ei wneud pan fyddai Mr Dŵm a'i griw'n cyrraedd.

'O, rhoi tamaid bach o ofn iddyn nhw, ond heb wneud dim niwed. Tamaid bach o sbort, dyna i gyd. Ie, tamaid bach o sbort.'

Ar y gair dyma ddau lond bws o ddisgyblion yr

Academi'n dechrau arllwys drwy brif ddrysau'r sw, fel carnifal o chwilod yn eu dillad ysgol du.

Llygadodd y llew'r prifathro, gan wybod bod angen triniaeth arbennig ar hwnnw. Byddai'n rhoi blas ar reolau'r jyngl iddo, o byddai.

Dechreuodd y disgyblion amau bod 'na rywbeth o'i le pan ddechreuodd pob un o'r mwncïod ruthro lan at y bariau, a grwgnach a sgyrnygu eu dannedd. Roedd yn ddigon i wneud i nifer o'r disgyblion iau deimlo'n ofnus iawn. Ond os oedd y disgyblion hŷn yn teimlo'n fwy dewr ac eofn, roedd yr hyn ddigwyddodd yn Nhŷ'r Ymlusgiaid yn ddigon i wneud iddyn nhw golli cwsg am flwyddyn, a rhoi llond bol o ofn iddyn nhw.

Erbyn hyn roedd Mam-gu wedi cael lle wrth feicroffon system gyfathrebu'r sw, ac wedi bod yn profi'r offer drwy ddweud 'Testio, testio, testing, testing' drosodd a throsodd, nes i rywun ddweud wrthi fod popeth yn gweithio'n berffaith. Gwyddai fod botymau o wahanol liwiau ar gyfer gwahanol rannau o'r sw. Cadwodd ei bys dros y botwm gwyrdd, sef botwm Tŷ'r Ymlusgiaid, yn aros am y signal gan Daf.

Roedd cant ac ugain o ddisgyblion yn llenwi'r lle bron i'r entrychion, a doedd dim llawer o le i symud. Ac roedd yn boeth yno – tymheredd perffaith i'r anifeiliaid, a oedd yn dod o wledydd trofannol gan amlaf. Ond pan ddaeth llais Mam-gu dros yr uchelseinyddion, cafodd pawb fraw ofnadwy.

'Rhybudd, rhybudd. Mae sawl neidr wenwynig wedi llwyddo i ddianc yn Nhŷ'r Ymlusgiaid. Maen nhw'n beryglus iawn, a ddylai neb fynd yn agos atyn nhw. Os ydych chi yn y Tŷ ar hyn o bryd, dw i'n awgrymu eich bod yn gadael yn dawel, heb ruthro, gan wneud yn siŵr nad ydych yn denu sylw'r creaduriaid. Mae'r Gabon Pit Viper yn ymosod heb reswm a'r gwenwyn yn lladd o fewn munudau.'

Arweiniodd yr athrawon bawb tuag at y drysau, heb wybod bod Heti a Daf wedi cloi'r drysau, ac yn bwriadu eu cadw ar gau am funud gyfan. Byddai Mam-gu yn tynnu ei dannedd gosod ac yn gwneud sŵn hisian i mewn i'r meicroffon. Gwyddai Daf fod hyn yn greulon ar y naw, ond roedd e wedi dioddef hefyd, a'r carchar yn debyg iawn i fod yn Nhŷ'r Ymlusgiaid pan oedd y nadredd yn rhydd.

Pum deg wyth eiliad. Pum deg naw eiliad. Chwe deg. Ar hynny, agorodd Daf a Heti y drysau ar naill ochr y tŷ a'r llall. Roedd pawb ar gymaint o frys fel na welson nhw'r ddau blentyn yn cuddio'r tu ôl i'r drysau. Crynai coesau rhai ohonyn nhw, a rhuthrodd eraill i'r tŷ bach. Ac yn y Tŷ, cysgai'r nadredd peryglus yn sownd yn eu casys gwydr.

Pan welodd Mr Dŵm yr olwg ar ei ddisgyblion – rhai'n llefain, rhai'n edrych fel petaen nhw wedi gweld bwci bo, yn welw iawn, a'u hwynebau fel y galchen – ei ymateb cyntaf oedd rhoi stŵr iddyn nhw i gyd am fod mor llwfr. Ond gallai hyd yn oed y dyn calongaled hwn weld mai digon oedd digon, a bod angen symud ymlaen i fwynhau'r ymweliad.

A pha ffordd well na mynd i gael sbort gyda rhai o'r anifeiliaid, gofynnodd, gan ddechrau â'r eliffantod? Allai Mr Dŵm ddim bod wedi gwneud penderfyniad mwy ffôl. Roedd yr anifeiliaid mawr yn barod amdano, ac yn cofio popeth roedd Heti wedi ei awgrymu, oherwydd, fel mae pawb yn gwybod, dyw eliffantod byth yn anghofio.

Bwriad Mr Dŵm oedd rhoi braw i'r eliffantod, ond wrth iddo nesáu at y wal fawr a amgylchynai'r compownd, cyrliodd trwnc yr eliffant hynaf o'i gwmpas a'i dynnu i mewn. Yna, bu pedwar eliffant yn tasgu dŵr drosto, rhaeadr wyllt ohono. Doedd y prifathro ddim yn gwybod ble i droi na beth i'w wneud. Ond doedd dim angen iddo benderfynu, oherwydd roedd Daf a Heti wedi esbonio beth fyddai'r peth gorau i'w wneud â Mr Dŵm pan fyddai ar ochr anghywir y wal.

Y bore hwnnw, roedd dau gipar wedi bod yn gweithio am awr dda'n creu tomen fawr o ddom eliffantod mewn cornel, yn barod i fynd â'r stwff drewllyd i ffwrdd ar gefn tractor yn nes ymlaen. Plannodd yr eliffant mawr Mr Dŵm ynghanol y drewdod, a'i blannu mor ddwfn fel nad oedd yr un fodfedd ohono yn y golwg. Doedd y disgyblion ddim yn meiddio chwerthin – wel, o leiaf nid i ddechrau. Ond pan lwyddodd y prifathro i godi allan o'r pentwr enfawr, a'i lygaid yn fflachio'n wyn o ganol y stwff brown ofnadwy, dechreuodd un crwtyn o Flwyddyn 9 chwerthin. Dilynodd pawb arall, fesul un, nes bod yr ysgol i gyd yn chwerthin am ben Mr Dŵm, ac yntau'n gwisgo dom eliffantod fel cot fawr ddrewllyd amdano. Am olwg! Ac am ddrewdod!

Ymhen awr, roedd y disgyblion ar eu ffordd adref. Ond roedd gyrrwr y bws wedi gwrthod cymryd Mr Dŵm ar ei fws glân neis, ac yntau yn y fath stad. Ac felly bu'n rhaid i Mr Dŵm gael cawod. Gwelodd Daf fod hwn yn gyfle da i ddefnyddio rhai o'r nadredd llai peryglus i wneud un jobyn bach arall, a gofynnodd i Heti eu cyfeirio o dan ddrws y gawod.

'Omamfach!' Gallech glywed y waedd mor bell i ffwrdd ag Ynys Môn. Ond hyd yn oed ar ôl y profiad hyll hwnnw, roedd un tric arall i'w chwarae ar y prifathro, sef bod cipar Tŷ'r Llewod yn cynnig yr 'unig ddillad sbâr sydd gyda ni yn y sw' iddo. Roedd y prifathro'n edrych yn druenus iawn erbyn hyn, ond edrychai hyd yn oed yn fwy truenus wrth iddo agor y bag a gweld gwisg ffansi blodyn yr haul! Pan gyrhaeddodd yr Academi awr yn ddiweddarach, roedd pawb yn chwerthin, a phob mymryn o awdurdod oedd ganddo wedi diflannu fel niwl y bore.

Erbyn hyn roedd yn amser ffarwelio â'r sw, ac roedd Mam-gu, Heti a Daf wedi penderfynu'n union beth i'w wneud. Gyda gosgordd o gathod mawr i'w hamddiffyn ac i wneud yn siŵr na allai dim un o'r cipars sefyll yn eu ffordd, fe gerddon nhw o amgylch y sw, a rhyddhau pob un o'r anifeiliaid oedd yn byw yno. Roedd yr anifeiliaid yn gwybod nad oedd hi'n mynd i fod yn hawdd byw y tu allan i'r bariau a'r ffenestri mawr gwydr, ond roedd yn rhaid rhoi cynnig arni.

Doedd rhai o'r adar, fel y fflamingos, ddim yn gallu hedfan. Ond llwyddodd rhai o'r adar eraill, fel y fwlturiaid a'r eryrod, i'w codi fesul un a'u symud at geg yr afon. Yno, roedd yr haid o adar gosgeiddig ar y mwd yn edrych fel machlud haul, yn binc ac yn brydferth. Dawnsiodd yr antelop a'r ceirw bach o Dde America i ddiogelwch y coedwigoedd derw gerllaw. Cerddodd y pryfed cop, gan gynnwys y tarantiwlas maint-platiau-cinio, i gyfeiriad y dref, lle bydden nhw'n dychryn pawb wrth chwilio am fananas.

Aeth y teigrod i gyfeiriad Caerffili, a'r jiráff i fwyta dail ar hyd lonydd deiliog Penarth. Aeth arth y Gogledd i gyfeiriad y Ganolfan Sglefrio Genedlaethol, gan fod yr arwydd yn addo lle bach braf i arth ymgartrefu (roedd yr arth yn un o'r creaduriaid prin oedd wedi dysgu sut i ddarllen iaith pobl). Anifeiliaid o bob lliw a llun yn gwasgaru i bob cyfeiriad. Ystlumod i Ystalyfera. Bleiddiaid i Bleddfa. Y sw ar grwydr, a'r ciperiaid oll yn cwato yn ystafell y staff.

A'r rhai olaf drwy'r gatiau oedd Mam-gu, Daf a Heti. Canai Mam-gu hen emyn iddi ei hun. Roedd hi wedi cael antur a hanner ac wedi blino'n lân, ond roedd yn benderfynol o ddal i fynd nes bod Daf a Heti'n ddiogel. Gafaelodd Heti yn llaw Daf wrth iddyn nhw gerdded allan i'r maes parcio. Anadlodd Daf yn ddwfn, gan gymryd un llwnc mawr o aer ac ocsigen. Roedd yn blasu'n rhyfedd, braidd – blas rhyddid pur ar ei dafod, yn rhedeg fel nant fach wyllt, neu drydan oer. Ar ôl cyfnod yn y carchar, y tu ôl i'r bariau dur, roedd blas rhyddid fel gwledd ar ei dafod – yr holl bosibiliadau, yr holl bethau roedd hi'n bosib eu gwneud.

Ie, rhyddid, oedd yn werth y byd i gyd yn grwn.

CARCHAR DDOE A HEDDIW

Carchar yn y bedwaredd ganrif ar bymtheg

Dywedodd y Capten Williams, Arolygydd Carchardai Prydain yng nghanol yr 1800au, 'Nid wyf yn gwybod am unrhyw olygfa fwy trist na gweld plentyn dan naw neu ddeng mlwydd oed yn y carchar'.

Yn 1849 anfonwyd dim llai na 10,460 o blant dan 17 mlwydd oed i garchar, gyda 214 o'r rhain yn cael eu halltudio i Awstralia.

Cofnododd yr Arglwydd Romilly, un o'r prif ddiwygwyr ar ddechrau'r bedwaredd ganrif ar bymtheg, ei brofiad ef o ymweld â charchar.

'Nid oeddwn wedi gweld cell dywyll o'r blaen, ac felly doedd gen i ddim syniad pa mor wael fyddai lle o'r fath. Roedd y tu mewn i'r gell gyntaf mor ddu nes bod y rheolwr, aeth i mewn yn gyntaf, wedi diflannu yn syth a dim ond pan glywais e'n troi allwedd yn y clo y des i'n ymwybodol ohono.

' "Dere mas fan hyn, fachgen," galwodd rheolwr y carchar i mewn i'r düwch … Ymddangosodd crwt 13 mlwydd oed yn araf iawn, yn symud megis malwen, ac yn edrych fel ellyll.'

Os oedd rhywun yn dlawd, yna roedd y gyfraith yn llym iawn. Roedd Edward Johgill wedi ei ddedfrydu wyth gwaith erbyn iddo fod yn 10 mlwydd oed, ac roedd e wedi treulio tipyn o amser yn y carchar. A beth oedd ei droseddau?

- Bod â 7 sgarff yn ei feddiant – 2 fis o garchar
- Bod â hanner sofren (sef hen ddarn o arian) yn ei feddiant – 2 fis o garchar
- Dwyn – hanner diwrnod o garchar a'i chwipio
- Bod yn ddigartref – 2 fis o garchar

Yn Nhŷ'r Cyffredin yn yr un cyfnod, dywedodd un barnwr fod rhwng 30 a 40 o blant wedi ymddangos o'i flaen, gan gynnwys un oedd yn 7 mlwydd oed, a nifer fawr rhwng 8 a 9 oed, yn aml am bethau bach megis dwyn tarten gwerth ceiniog. Cafodd un bachgen bach ei anfon i garchar am fis am ddwyn llond llaw o eirin o goed mewn gardd breifat.

Yn ein dyddiau ni

Mae tua hanner poblogaeth carchardai'r byd mewn gwledydd fel Unol Daleithiau America, China a Rwsia. Dyma rai ystadegau i'w hystyried:

Poblogaeth Cymru gyfan	3,063,456
Nifer y carcharorion yn Unol Daleithiau America	2,193,798
Poblogaeth Unol Daleithiau America	325,637,380
Nifer y carcharorion yn China	1,548,498
Poblogaeth Caerdydd	341,000
Nifer y carcharorion yn y Deyrnas Unedig	85,056
Nifer y dynion mewn carchar yn y Deyrnas Unedig	82, 056
Nifer y menywod mewn carchar yn y Deyrnas Unedig	3,919

Mae'r ystadegau uchod yn dangos bod dyn 22 gwaith yn fwy tebygol na menyw o gael ei garcharu.

Nifer y plant mewn carchar yng
Nghymru a Lloegr   1,021

Nifer y carcharorion dan 18 mlwydd oed   906

Canran y plant o gefndir du neu leiafrif
ethnig arall mewn carchar yn y DU   41%

O gefndir Mwslimaidd   15%

O gefndir Sipsi/Romani/Teithwyr   12%

Nifer y carchardai yng
Nghymru sy'n derbyn plant   1 (Carchar y Parc,
                                  ger Pen-y-bont)

Carchar yn cynnal nosweithiau rhieni ac athrawon
Mae un carchar yng Nghymru yn cynnal nosweithiau
rhieni ac athrawon er mwyn galluogi carcharorion i
gael gwybod am gynnydd eu plant.

Caiff rhieni o nifer o ysgolion yn ne Cymru
fynychu noson rhieni ac athrawon chwe gwaith y
flwyddyn, fel rhan o gynllun arloesol yng Ngharchar
y Parc – carchar categori B sy'n cael ei redeg yn breifat
gan G4S.

Y nod yw gwella'r berthynas rhwng y tadau sydd
yn y carchar a'u plant, cryfhau'r cwlwm teuluol, a

helpu ysgolion i ddeall yr anawsterau sy'n wynebu disgyblion sydd â rhiant dan glo.

Cynhelir y nosweithiau rhieni ac athrawon yn y neuadd ymweld. Bydd y fam a'r plentyn yn ymuno â'r carcharor, a bydd pawb yn eistedd o gwmpas y bwrdd gyda'r athro neu athrawes dosbarth i drafod gwaith y plentyn a'i gynnydd yn yr ysgol.

Un o'r ysgolion a fu'n rhan o'r cynllun oedd Ysgol Gynradd Gymraeg Tirdeunaw, ger Abertawe. Dyma beth ddywedodd Catrin Rees, athrawes o'r ysgol honno aeth i Garchar y Parc i drafod gwaith un o'r disgyblion gyda'r teulu:

"Mae'r profiad o fynychu'r nosweithiau rhieni gyda'r disgyblion yng Ngharchar y Parc yn gyfle i ystyried eu teimladau cymysg o gyffro a nerfusrwydd wrth gyrraedd, y balchder wrth ddangos eu gwaith, a'r tristwch, y gofid a'r hiraeth wrth droi am adre a gadael Dad yn y carchar. Rhaid rhoi pob cefnogaeth a chymorth iddynt ddelio â'r emosiynau hyn."

Nofelau eraill ar gyfer
darllenwyr 12–14 oed

Gwennol

Sonia Edwards